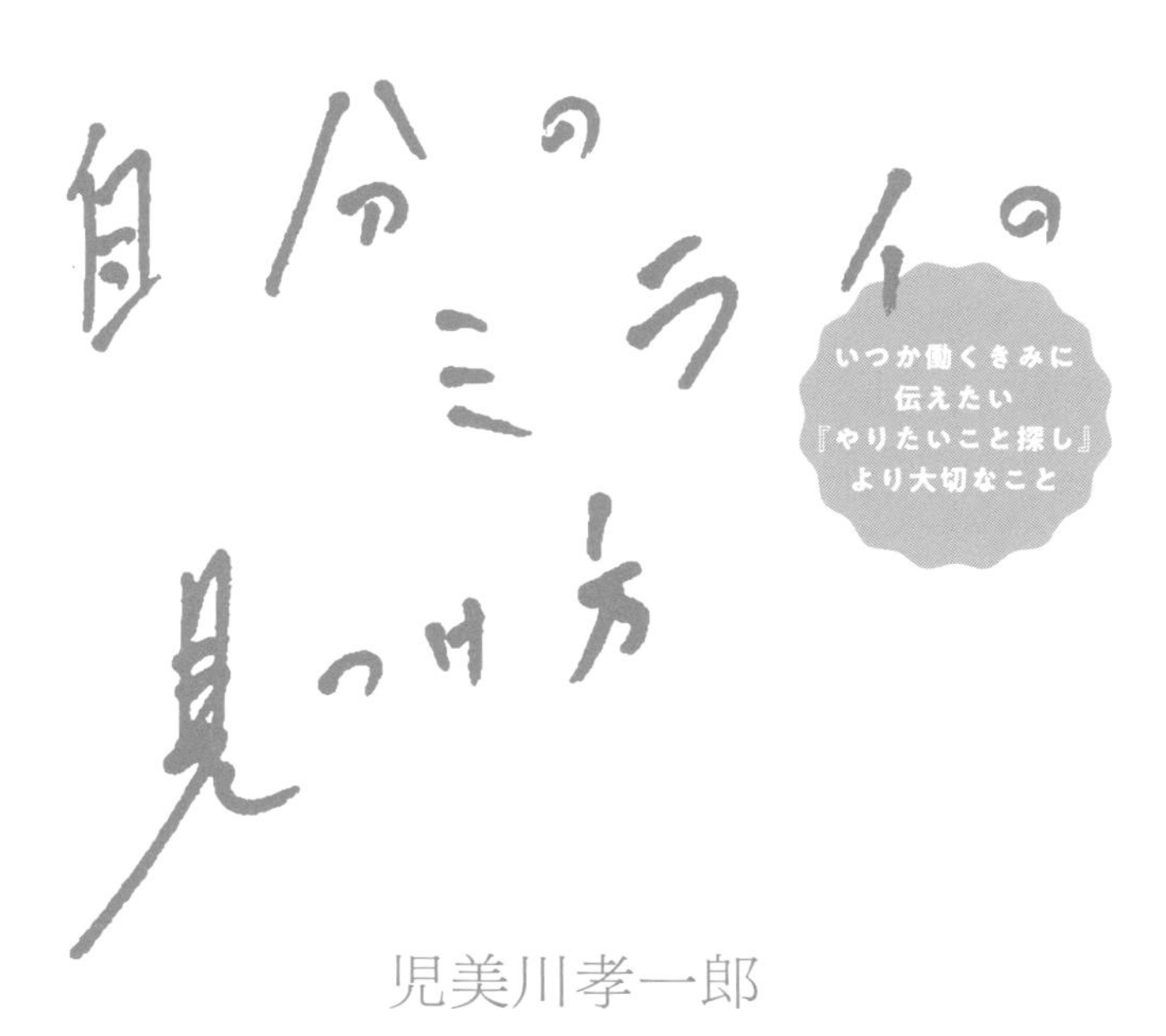

児美川孝一郎

旬報社

はじめに

今さっきまでいた場所からちょっとずれてみると、ぜんぜんちがう景色が見えてくることとってないかな?

たとえば、きみたちの大好きなユーチューブ。人気ユーチューバーが面白いコンテンツをたくさんアップしていて、ファンだという人も多いと思う。

ユーチューバーって楽しそうだし、お金もたくさん稼(かせ)げるみたいだし。よし、じゃあ自分もやってみるか。

もし、そう思ったとしたら、どうだろう? 急にどうしたらいいかわからなくなるかも。だって、観て楽しむのと自分がやるのとでは大ちがいだから。

でも、その気持ちを持ったまま、もう一度動画を観てみると、ユーチューバーたちがどうやって動画を面白くしているのか、少しは見えてくるんじゃないだろうか。
ああ、あの人たちはこんな工夫をしているのかって。

それこそが、ちがう景色なんだ。

きみが今までいた場所から離れたことで、動画を観る面白さだけではなくて、何かを創造する面白さに気づいた瞬間(しゅんかん)だともいえるかも。すると、がぜん、自分でつくることへの関心もわいてくるんじゃないだろうか。

じゃあ、同じように、きみたちの将来を、これまでとは別の場所から眺(なが)めてみたらどうなるだろう。

「サッカー選手になりたい！」「アイドル歌手になりたい！」。まだ幼かったときのそんな憧れとはちがう場所から、自分の将来を見つめてみるんだ。

もちろん、まだ何も見えないかもしれない。

でも、きちんと見つめようとすることで、自分の将来をどう考え、そのための準

COME
ON SALE

備をどうしたらいいのかという「視点」を手にすることができる。じつはそれがとても大切なことなんだ。

この本のねらいは、きみたち10代に、自分自身の「これから」を考える準備体操をしてもらうこと。そのための自分なりの「視点」を持ってもらうことだ。視点は世の中の「見方」と言い換えてもいい。

ところで、今、「これから」っていう言葉を使ったけど、ちょっとつかみどころがない感じもするよね。だからこの言葉は「進路」と置き換(か)えてもいい。けれど、それだと、どの学校を受験するかみたいなニュアンスがでてくるので、ちょっと狭(せま)い感じがする。

じゃあ「人生」は、どうだろう。悪くない(かな?)。でも、いきなり「私の人生はこれだ!」みたいに考える10代なんてあんまりいないだろう。

もうひとつ、聞き慣れないかもしれないけれど、「キャリア」という言葉もある。

本来は、人の生きざま全体を指すような、すごく幅広い意味を持っているんだけど、日本では、キャリア・イコール・働くことみたいに受け取られがちだ。

そうやって考えると、進路も、人生も、キャリアも、どれも「これから」にピッタリと置き換えられる言葉じゃない。

だから、この本では、この3つの言葉を、それぞれの場面に応じて使い分けることにする。ただ、そうやって使い分けはするけど、言いたいのはみんなの「これから」。そのことはよく覚えておいてほしい。

さて、「これから」を考える準備体操をすると言ったけれど、それは将来の仕事選びや人生設計をするみたいに、具体的な目標を決めようっていうわけじゃない。

準備とは、最初に言ったように、これまでにはなかった新しい視点を手に入れようってことだ。

「えっ、そんなことなの？」って、拍子抜けした？

だけど視点って、バカにできないよ。それは、「これから」に向かって歩んでいくときの杖のようなものだから。きみの人生航路で役立つ道具、もっと積極的にいえば武器にもなるんだから。

視点は本来、自分が何かを考えるときのモノの見方とか、考え方という意味だ。視点が変われば発想も変わるし、行動も変わる。ひいてはその後の人生も変わってくるはず。それくらい大切なものなんだ。

もちろん、きみが抱いたかもしれない不安もわかる。（視点が大切だなんて言ってないで）「将来はこんな道に進もうとか、こんな仕事をしようとか決めなくていいの？」ってことだろう。

でも、はっきり言おう。

今の世の中を前提に考えれば、現時点で、自分の将来を決めてしまうのはおすすめ

できない。いや、そんなことはそもそも無理なんじゃないか。

なぜなら世の中の変化がすごく早く激しくなっていて、少し前なら10年や20年かかったことが2〜3年で簡単に実現してしまう。そんな時代をきみたちは今、生きているからだ。

社会がどんどん変化する以上は、将来を決めるうえでの前提や条件も変わってしまう。たとえば少し前、人工知能（ＡＩ）が発達すると、人間の仕事の多くがＡＩに取って替わられるということが話題になった。それがほんとうだとするなら、今の時点で「自分の将来の仕事はこれだ！」と決めたとしても、大人になるころには、それはロボットがやっているかもしれないよね。

逆に、アメリカの研究者の予測によると、今の小学生が大人になるころには、全体の3分の2が、現在はまだ存在していない仕事に就いているらしい。だとしたら、今何になるかを決めていても「ちっともリアリティがない」ってことになる。だって、きみたちは今はまだない仕事に就く可能性のほうが高いんだから。

もうひとつ考えてほしいことがある。

それは**「人生100年時代」**が目の前までやってきているってことだ。元気なら80歳ぐらいまで人間は働くといわれている。

もし22歳で大学を卒業してから働き始めたとしても、80歳を迎えるまで58年もある！　たったひとつの仕事を半世紀以上も続ける人って、どれだけいるだろうか？

きみたちもきっと生涯、いくつかの仕事を経験していくにちがいない。それなのに何かひとつだけを選んでおくって、ヘンな話だと思わないか？

転職だけじゃない。「パラレルワーク」なんて言い方もあるように、同時にふたつの仕事を掛け持ちする時期だって長い人生のうちにはあるかもしれない。そういったことを考えると、今の時点で何か先のことを決めるのがそんなに大事なことには思えない。先に進んでいく中で、自分なりに世の中に向き合えるための視点を手に入れることのほうがずっと大事なんじゃないだろうか。少なくともぼくはそう思っている。

大人が言う「夢を持とう」はちょっと怪(あや)しい

「将来の目標を持て」とか、「夢を持とう」とか、きっときみもよく耳にすると思う。なんだかカッコいい響(ひび)きがあるから、つい、「たしかにそうだよな」と思ってしまうかもしれない。だけど、それってほんとうなの？　と疑ってかかったほうがいい。それもこの本で伝えたいことだ。

「でも、学校でもしょっちゅう言われるし、テレビでも言ってるし」って思うだろうか。

もちろん夢や目標を持っているのはすてきなことだし、あればやる気も出てくる。集中力も高まる。けれど、「これだ！」という目標や夢があったとしても、それをたったひとつだけに絞(しぼ)り込(こ)んでしまうと、かえって視野を狭くすることにもなりかねない。将来その夢が実現できなかったら、もう他の選択肢(せんたくし)がなくなってしまう。夢にはそういうリスクもあるってことは意識していたほうがいい。

そもそも、よく考えてみれば、大人たちは誰もが10代の自分が思い描(えが)いていた職業に就いているわけじゃない。あるデータによれば、夢や目標を実現できた人は6人に1人。残りの大人は、今はきみたちの年ごろには考えもしなかった仕事をしている(詳(くわ)しくは第2章で)。

でも、その人たちがみんな不幸なのかといったら、そんなことはない。それぞれに働きがいを持ってがんばっているはずだ。

だから、**夢があることを否定はしないけれど、ぜったいに夢がなきゃいけないって決めつける必要もない。**逆に言えば、自分の将来を「これだ!」と決め打ちしちゃったために、他の可能性が見えなくなってしまうことだってある。そっちのほうがよっぽど恐(こわ)いんじゃないか?

きみはまだ半信半疑だろうか。

だったら、そもそも誰が「夢を持て」なんて言っているか、考えてみてほしい。

「夢を持ちなさい。目標を持ちなさい」と言っているのは、ほとんどはそれを実現した人だ。ちょっと前の言い方だと「勝ち組」になった人たちだろう。大金を稼いだＩＴ企業の社長だったり、成功したスポーツ選手だったり。

身近なところでは、ちょっと地味かもしれないけど(笑)、学校の先生だってそうかもしれないよ。教師という仕事は、もともとなりたくて就いた人が圧倒的に多い。その意味では、先生たちは目標を掲げてがんばってきた人だし、夢を実現できた幸運な人たちだと言えるわけ。

それ自体はすばらしいことだけれど、反面、自分の経験から当たり前のように「夢を持ちなさい」なんて熱く語りかけてきがちなんだよね。だけど、さっきも言ったように、それは6人に1人くらいの幸運なケースでしかない。

将来の目標がなかったらダメなんてことはまったくない。

実際には、好きでもなくてたまたま就いた仕事だけど、途中からその面白さに気づいてのめり込んだという人は少なくない。

そう聞くと、「目標とは違う道に進んだけれど、今はとてもやりがいを感じている人は、そこにどんなきっかけがあったんだろう？」って興味がわいてこない？

その答えのひとつとして言えるのは、そういう人たちは偶然のチャンスを生かしたってこと。もともとの夢を実現できなかったのかもしれないし、とりたてて夢や目標はなかったのかもしれない。けれど、過ごして行く中でたまたま出会ったチャンスを上手に生かして、今につなげてきたんだ。

こうやって考えてみると、夢や目標とどう向き合ったらいいかも少し見えてくるんじゃないだろうか。つまり、**「目標を立てて、でもやっぱり、おろす」なんてことも、当然ありだってこと。**いったん引っ込めてからまた立ててもかまわないし、その間、考え込む時期があってもいい。

もちろん、将来の夢を〝仮り決め〟しておくことも、ぜんぜんかまわない。でも、「目標を立てたからには、絶対にあきらめてはいけない！」なんて思い込む必要もない。夢や目標とはもっと柔軟（じゅうなん）に付き合えばいいんだ。

新しい視点を武器に、自立へと旅立とう

きみたちの「これから」について新しい視点を持つことは、じつはとても大事な「自立」ということにつながっていく。

つまり、進路や人生を多様な視点でとらえることができるようになると、親や先生など、誰かの言いなりになるのではなくて、「自分はこうだ」という独自の見方ができるようになるんだ。

昔からそうだけど、きみたち10代は、「自立に向かう旅」に出発する時期だ。

今、きっと同世代の誰もが、少しずつ自分の中で「なんだろう、このもぞもぞする感じは」って違和感を意識し始めているんじゃないだろうか。

これまでは親や先生、大人たちの言うことを素直に聞いて、それが正しいと思ってきたかもしれない。けれど、思春期になると、それだけでは満足しきれなくなっているはずだ。

そんな古い自分を少しだけ壊して新しくするためには、自分自身を旅へと駆り立てていく力が必要になる。そう、自立に向かう旅だ。そして、それを支える力こそが、これまで言ってきたような多様な視点、世の中についての新しい見方なんだ。

この本ではきみが自立に向けた第一歩を踏み出し、これからの人生や進路、キャリアについて準備をするためのヒントも示してみたい。

この本で提示しようと思っている「新しい視点」は5つある。

それぞれの内容を少しラディカルに語ってみたい。ラディカルは「過激な」っていう意味でよく使われるけれど、ここではそうではない。「根本的な、根源的な」という意味だ。

❶ **フツーを疑おう** 「これがフツー」「これが幸せ」といったことについての「当たり前」を疑ってかかろう。

❷ **「やりたいこと」の呪縛を解き放とう** 夢や目標などにとらわれすぎない。

❸ **働くことのイメージを豊かにしよう** おそらくきみは、働くことについてある種の固定的なイメージを持っていると思う。そこを思いきって突き崩していく。

❹ **社会の変化を受けとめよう** 今、世の中は劇的に変わっている。それをきちんと知ることも、新しい視点を持つことになる。

❺ **発想を変えれば、学校の勉強はじつは役に立っている** 今は信じられないかもしれないけれど（笑）、ぜひ読んでみてほしい。

自立に向かう旅のウォーミングアップとして、まずは、この本を読みながらたくさんのことを考えてほしい。そして、新しい視点を手に入れてほしい。

新しい視点を手に入れようとすることは、自立に向かう旅ほどはしんどくないし、親や先生とぶつかることもない。

じつは、本を読むとはそういうことで、むずかしい言葉でいえば「思考実験」なんだ。擬似的にチャレンジしてみる体験と言ってもいい。新しい視点や見方を取り入れて、頭の中で大人とぶつかってみたり、反発してみたりすればいい。それはいずれ訪れる本物の自立への旅の予行練習になるだろうから。


新しい視点を手に入れることは、今より自由になれるってことだ。

親や教師といった身近な大人たちだけではなく、この社会全体に巣喰い、今でも影響力を持っている古くさい常識やら価値観から自由になれるという意味でもある。

ぜひとも、新しい視点を手に入れて、自立への旅に出る準備をしてほしい。

もくじ

第3章 働くって、なんだ？

第4章 きみたちはこんな社会にこぎ出ていく

第5章 学校の勉強は役に立つか？

第1章

フツーの人生って、なんだ？

「同調圧力」というやっかいな存在

たとえばこんな経験が、きみにもないだろうか？

友だちみんなが、あるアイドルグループのファンだ。正直、自分はそんなに興味はないんだけど、本音は言えない雰囲気。とりあえず自分も推しているふりをして、話を合わせている。

あるいは、ホームルームの話し合いで多数決を取るとき、ほんとうは気が進まないんだけど、みんながそうだからなと賛成（反対）の側に手を挙げるとか。

こんなふうに集団の中で多数派に合わせるように強いる力を、難しい言葉かもしれないけど**「同調圧力」**という。同調させる＝従わせる力、という意味だね。

そして、その力のもとには、ぼくたちが当たり前のように使っている「ふつう」という言葉の威力がある。いや、魔力と言ってもいい。

辞書を引いてみると、「ふつう」には「常識」「標準」「定型」といった意味がある。でも、ぼくたちが生きる現代社会では、「ふつう」はその字句どおりの意味だけでなく、同調圧力を与えるような独特の意味合いを持ってしまっている。だからこの本ではあえて「ふつう」を**「フツー」**と表現することにしよう。

きみも子どものころ「友だちはみんな持っているよ」と親にゲームソフトやオモチャをねだったことがあるんじゃないだろうか。ほんとうはみんな（全員）じゃないんだけれど、持っているのがフツーだよと、なかば無意識に交渉材料にしていたはずだ。

ここがフツーにひそむ、かなりやっかいなところだ。この言葉が出てくると、それに従わなきゃいけないんだと相手に思わせる魔力が発生するのだから。

強引に相手を従わせる力を持っているフツー。

だけど、それは法律や規則みたいに文章になっていたり、目に見えるかたちであらわされているわけじゃない。強いて言うなら、からだに染みいついている慣習だったり、仲間内の暗黙の了解だったりする。

ある意味、フツーはひとつの「文化」とも呼べるからよけいにやっかいなんだ。たとえば、「きみって個性的だね」と言われると、場合によっては、遠回しに悪口を言われたような気分にならないだろうか。

反対意見なんて言わずに、みんなが賛

成しているんだから空気を読めよ。それができないってフツーじゃない。集団を乱す不協和音だよ――そう思い、相手の行為を「個性的」と呼んで柔らかく非難する。こんなことがぼくたちの社会にはままある。

みんなが違って当たり前という考え方を「個人主義」と呼ぶ。

一方、日本は長い歴史の中で、個人よりも集団や仲間の和を大事にする「集団主義」に親しんできた。

集団主義そのものが悪いことではないかもしれないけれど、それは言い換えるなら、同調圧力がかなり高い社会ってことでもある。それはよけいにフツーの威力を発揮させる。集団内でのいじめも生まれやすくなる。

つねに「おまえもフツーになれよ」と暗黙の、いやときには見えるかたちの圧力をかけられ、フツーに囲まれて暮らしている。とりわけ学校という場で集団生活を送るきみたちにとって、これはなかなかしんどいことなんじゃないだろうか。

フツーにも意味はある？

じゃあどうして世の中にはフツーなんてやっかいなものがあるんだろう。なくてもよさそうなのに。

じつは、ちゃんとした理由がある。**フツーは、すごく複雑にできているこの社会において、ぼくたちがスムーズに行動するための潤滑油（じゅんかつゆ）の役目をはたしている。**

たとえばきみが街を歩いていて、お店に入ったとしよう。

すると、向こうから笑顔で誰かが近づいてくる。

そうしたら、きみはその人を店員さんだと思うはずだ。たとえその人が「私、店員です」なんて言わなくても。ユニフォームのような服を着ていなかったとしても。

この場面ではフツーが成り立っているから、わざわざ問いただす必要はないよね。

これはすごくシンプルな例だけど、世の中の仕組みって、だいたいこういうふうにできているんだ。

もし、フツーがなかったら、なんでもかんでも疑ってかからなきゃいけなくなり、それこそやっかいだ。その意味ではフツーがあるおかげで、ぼくたちはいちいちものごとをゼロから考えなくていいし、社会全体が暮らしやすくなっているといえる。


一方、さっきも言ったように、フツーは同調圧力という負のパワーも持っていて、人を不自由にしたり、ときには苦しめてしまう。

たとえば男らしさ、女らしさ。

感じ方は人それぞれだし、そもそもそんな「らしさ」に従わないといけない理由なんてない。なのに、「男のくせに手芸クラブに入部するなんてキモい」とか、「女の子なんだから、そのダボダボのミリタリージャケットとチノパン、やめなよ」なんて平気で言われたりする。

ここできみたちと考えてみたいのは、**将来の進路を選ぶ際にもじつはフツーの圧力がかかっているのでは？** という問題だ。

きみが中学生で、すごく成績がよかったとしよう。「わたしは家から近い高校に進学したい」と希望を言ったらどうなるだろう？

「何言ってるの、あなたはもっと上のレベルの学校に入れるんだから、そこを目指しなさい」と寄ってたかって大人たちから反対されるんじゃないだろうか。

高校生が進路を決めるときだってきっと同じだ。

大学であれば、学ぶ内容よりも知名度や偏差値(へんさち)の上下が優先される。だって、「できるだけ偏差値の高い大学・学部に進むのがよい。結局はそれが無難だ」というのが大人たちのフツーだから。

もちろん、そんな大人たちも悪気があるわけではなく、きみのためだと思っている。だけど、いくら善意だとしても、それはやっぱりフツーの圧力だ。きみがどんなに「いや、そうじゃないんだけど」と思っていても、何度も圧力にさらされていると、いつの間にか「そのほうがフツーなのかな」と思い始めるかもしれない。そうすると、自分自身の考えは空気の抜けた風船のようにしぼんでいく。

じつは、社会の変化が穏（おだ）やかな時代には、フツーに従うことのメリットのほうが、デメリットよりも大きかった。前例にならっていれば大きな失敗はしないし、そもそもあれこれ悩（なや）む必要もないからだ。

でも、**社会の変化が急激な時代には、デメリットのほうが大きくなる。**なぜなら、目まぐるしく世の中が変化していくわけだから、前例なんて参考にならないし、当然、従来のフツーは機能しなくなるから。

このイメージをわかってもらえるだろうか。

そこできみに考えてもらいたい。

じゃあ、現代はどっちだろう？　社会の変化は穏やかだろうか？　それとも急だろうか？

そう、明らかに急だよね。

ということは、これまでのようにフツーに頼りきっていてはまずい、うまく生きていけないってことなんだ。

きみの両親の世代だったら、もうちょっとフツーは頼り（たよ）になる存在だったはず。

でも、きみたちの世代になるとフツーはじつは頼りない。まずこの現実をしっかりとおさえてほしい。

フツーの人生はどこにある？

きみはピッチャーだ。変化の激しい現代社会というマウンドに立っている。

フツーというストライクゾーンは狭（せま）くなるいっぽうだ。

いい学校を出て、いい会社に入って、結婚して、家庭を持って、定年になったらゆったりとした老後を送る。そんないくつものフツーを投げ込んでいて、はたしてバッターを打ち取ることができるんだろうか。

どうだろう？

ピッチャーとしてのきみのセンサーは、理由ははっきり言えなくても、それは難しそうだなと感じているんじゃないだろうか。

もっとも、今の日本社会でも「フツーの人生」はまだまだ生き延びている。

きみの両親はきっとそれを意識しているだろうし、きみの祖父母の世代になればゆるぎない価値観として「フツーの人生」がからだに刻まれているかもしれない。

たしかに30年以上前の日本社会であれば、「これが標準だ」とみなされるような人生のフツーのコースがあった。

それはこんな感じだ。

受験勉強をくぐりぬけて高校へ、可能であれば大学か専門学校に進学する。ちゃんと卒業して、新卒でどこかの会社に就職する。なるべく有名で、規模が大きくて、給料が高そうな会社が理想だ。男性も女性も30歳ごろまでには結婚する。

男性なら昇進を目指して一生懸命はたらき、定年まで勤め上げる。子どもができても子育てには手が回らない。休日も会社のお付き合いでゴルフなんてこともめずらしくない。ローンで家を買い、60歳で定年になったあとは退職金で悠々自適の老後を送る。

一方、女性の場合は、就職するまでは男性と同じ。結婚や出産をきっかけにほとんどが退職（それは「寿退社」と呼ばれていた）し、専業主婦として子育てと家事に専念する。やがて子どもの手が離れたころに、パートタイマーとしてふたたび働き出す。女性の就職率を年代ごとにグラフに表すと、20代で上がり、30代で下がって、40

代以降でまた上がる。フタコブラクダの背中みたいにM字型曲線を描いていた。

これが一昔前にみんなが思い描いていたフツーの人生だ。

じゃあ、今はどうなっているんだろう？

まず進学率はすごく上がっていて、高校には98・8パーセント、大学・短大には58・6パーセント（２０２０年度）が進学している。けれど、中退者の割合も高く、高校生の5パーセント弱、大学生の10パーセントちょっとは途中でやめてしまっている。つまり、この時点でもざっと10人に1人はフツーの人生から離脱しているんだ。

次に就職状況を見てみよう。

昔だったらどんな会社かは別として、卒業とともにどこかには就職していたはず。ところが現在は、卒業時に就職が決まらず、そのままアルバイトを続ける若者なども少なくない。大卒でもその割合は11パーセント（２０２０年度）にのぼっている。

大学の中退者が10パーセント強。卒業後に就職ができない人が11パーセント。合計では20パーセントを超える。**つまり、およそ４〜５人に１人はこの段階ですでにフツーの人生を離れてしまっていることになる。**

さらに言えば、就職した人のうち、最初に就いた仕事を３年以内にやめてしまうケースが、高卒で約40パーセント、大卒で30パーセント以上にのぼる。この時点ではもはや３人に１人はフツーの人生を歩んでいない。

次は結婚について。

「生涯未婚率」という言葉を聞いたことがあるだろうか。一度も結婚をしない人（統計的には50歳まで未婚の人）の割合だ。

これが近年、劇的に上がっていて、２０１５年の時点でも男性の24・２パーセント、女性の14・９パーセントにのぼっている（37ページのグラフ参照）。ざっと男性の４人に１人、女性の６人に１人が結婚をしないまま生涯を終える計算だ。

■ 生涯未婚率の推移（将来推計含む）

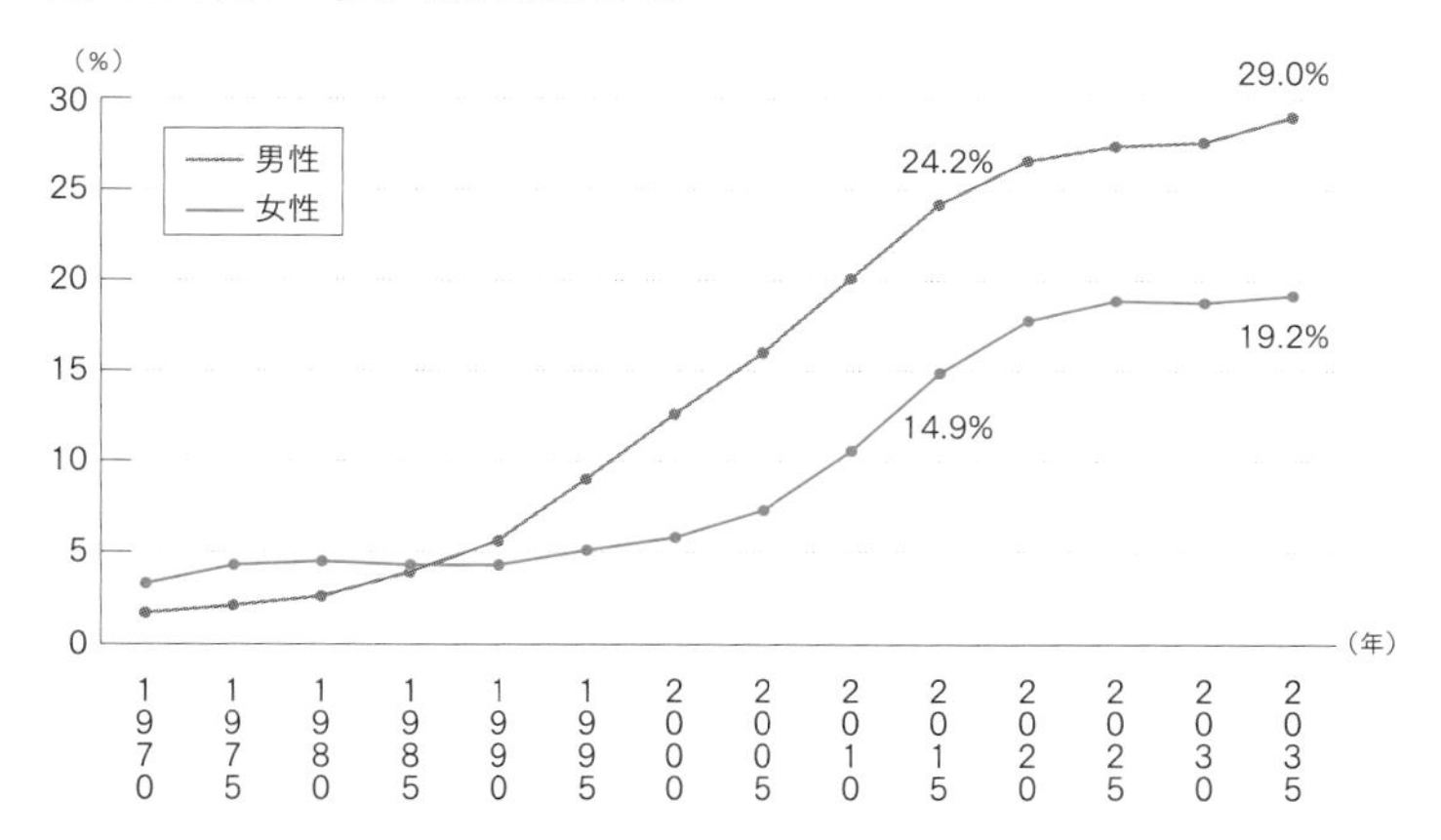

資料：国立社会保障・人口問題研究所「人口統計資料集（2015年版）」、「日本の世帯数の将来推計（全国推計2013年1月推計）」

■ 女性の就業率の変化

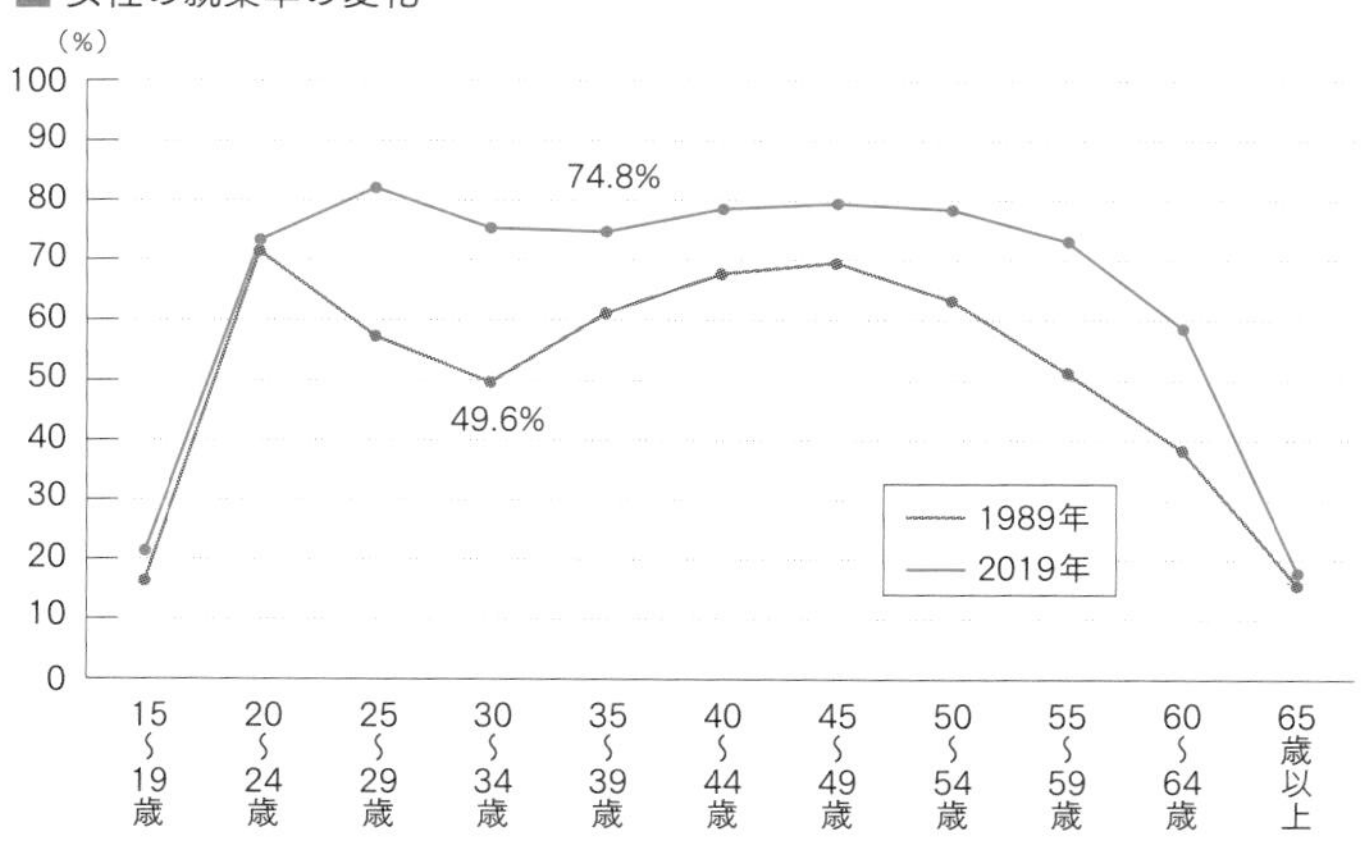

資料：総務省統計局「労働力調査」

もし、きみのクラスが40人（男子20人・女子20人）だと仮定すれば、男子の5人、女子の3人は生涯独身のまま。しかもその割合は今後も増えると予想されている（２０３５年には男性の29パーセント、女性の19・２パーセント）。そうだとするなら、結婚することがフツーだなんてとても言えない。

ちなみに、結婚後に離婚するカップルは3組に1組（アメリカでは2組に1組なので、上には上がいるけれど）。このことはシングルマザーやシングルファーザーの割合を押し上げる要因となっている。

つまり、結婚はしないかもしれないし、しても別れる可能性は決して低くはない。

女性の就業率はどうだろうか。

37ページのグラフを見ると、今でもM字型曲線であることは変わらない。けれど、昔と違って子どもを産んだあとでも5割の女性が仕事を続けている。その影響（えいきょう）で、

M字曲線の谷間はかなり浅くなり、35〜39歳でも74・8パーセントが働いている。

どうだろう。

こうした状況を見ると、上の世代の人たちが信じ、社会の「常識」を形成していたフツーなんて、もはや存在していない（少なくても風前の灯）と言えるんじゃないだろうか。

しかも、フツーの牙城とも呼べる現在のシニア世代だって、いやおうなしに変化の波に洗われている。かつては「ハッピー・リタイヤメント」という言葉があった。悠々自適の老後という意味だけれど、この言葉は本家のアメリカでも死語になって久しいという。

これは日本も同様で、「老後ってなんだっけ？」と言われるくらい、今、60代の就業率は急上昇している。いったんは定年退職しても、その後再就職している人が増えているからだ。

実態としてフッーはすでに崩れている。

そうだとすると、崩れ去りつつあるフッーの残骸の上を歩くことに、どれだけの意味があるのだろうか。ぜひ考えてみてほしい。

価値観のちがう世代が共存する時代

今、ぼくたちは歴史上、かなりめずらしい時代を生きている。

それは祖父母世代、親世代、子世代のそれぞれが生き方について別々の価値観を持ちながらいっしょに暮らす時代、という意味においてだ。

社会の変化がこれほど早くなければ、きみの親と祖父母の価値観はきっと同じだったはず。いや、歴史をふりかえれば、むしろそのほうが当たり前だった。変化の波がもっとゆるやかで、三世代の価値観が同じという時代も当然あっただろう。

でも、今はそうじゃない。

きみの祖父母は、これまで話したような人生のフツーが盤石（ばんじゃく）だった時代に生きた世代。一方、きみの親は、フツーがだいぶ崩れつつも、まだまだ影響力を発揮できていた時代に育った世代。ちょうどこのあたりが転換期（てんかんき）だといえる。

そしてきみたちの世代になると、人生のフツーなんておよそ成り立たない。これは好むと好まざるとにかかわらず、事実として受け入れるしかないことだ。

でも、直面している時代状況の違いを知っておくと、上の世代とどう向き合ったらいいかのヒントにもなる。

たとえば、10代のきみたちに向かって、「人生というのはね」などとしたり顔で語ってくる大人っていると思う。もちろん、よかれと思って言ってくれているんだろうけど、そもそもフツーの人生なるものの前提がちがうわけだから、そんな大人の語りを聞くときはあくまで慎重に。**納得できなかったら、「ああ、この人はフツーがまだ盤石だった世代の人だからこんなアドバイスをするんだな」と思っていればいい。**

そうかと思えば、なんでもかんでも「自分の好きなようにすればいいよ」と言う大人も近ごろは増えてきた。

たぶん、その人たちは、自分のフツーがもはや通用しないということに気づいている。それで、きみたちに何かをアドバイスする自信がないんだね。もしかしたら、きみの親だって、今現在、自分の生き方はこれでいいのかと悩んでいるのかもしれない。

そのせいか、最近は妙にものわかりがよい「友だち親子」が多いんだ。

「おまえのやりたいようにやれよ」なんて親に言われたら、きみはどう思うだろう。

一見、楽でよさそうに思えるけど、それでいいんだろうか。

「おまえなあ、フツーはこうだろ！」なんて、壁（かべ）になって立ちはだかられるのはたしかにうっとうしいけれど、じつはそれはそれでありがたいことなんだよね。その壁を乗り越えようとすることで、自分自身が鍛（きた）えられるのも事実だから。逆説的だけど、フツーを疑う力も身につく。そんな視点も持っているといい。

フツーを疑えば、きみは少し自由になれる

では、この章のまとめをしよう。

きみがフツーを疑う視点を手に入れたなら、フツーの人生などという想定はどうやら怪（あや）しいと気づくはずだ。そのことは、きみたちが自分自身の「これから」を考えるときに、重要な意味を持つ。

フツーに寄りかかればいい、なんていうイージーモードは、残念ながらこれからは通用しない。そもそもフツーを頼りに生きたところでそれが安心なのか安全なのか、誰も保証はできない。当たり前だけど、あとで痛い目にあう可能性だって十分にある。

一方で、フツーの人生に従わなくちゃいけないという不自由さはなくなるはず。これまではフツー・イコール・標準であり、そこから外れることは許されなかった。けれども、これからは違う。同調圧力も弱まっていくはずだ。だからこそ自分なりの人生をきり開けるんだと、きみには気づいてほしい。

たとえば、結婚。

現在の生涯未婚率は高いけれど、1990年代前半までの日本では、未婚率は男女ともに5パーセント未満だった。どうしてそんなことが可能だったのかといえば、じつは簡単なことだった。つまり、「結婚することがフツーだったから」。

かつての日本社会では、適齢期と呼ばれる年齢になったら、男性も女性も結婚するのが当たり前という価値観が支配的で誰もそれを疑わなかった。だからその標準コースを歩もうとしない人がいたら、親はもちろん、親戚、会社の上司、近所の世話好きなおじさんやおばさん、あらゆる人たちがお節介を焼いて結婚相手を紹介した。

そんな時代が何十年も続いたのが、この日本という国なんだ。だからその結果、生涯未婚率は5パーセント未満に押さえ込まれていた。

もちろん、それで幸せになった男女も多いのだろう。

けれど、じつは独身のほうが気楽だったなと思う人だって大勢いたのかもしれない。**つまり、フツーや標準が強すぎる社会は、けっして自由な社会じゃなかったということなんだよね。**

フツーを疑うことは、自由を手に入れること。

それは、自分で考え、判断し、決定することとワンセットだ。

大変なことかもしれないけれど、他人まかせの、いやフツーまかせの不自由な人生と比べたら、どっちがいいだろうか。

それこそ、きみ自身が考えることだ。

自由

第2章

「やりたいこと」がないとダメなの？

大人はなぜ「やりたいこと」を聞くのか

ここでは、この本を手に取ってくれたきみが今まさに悩まされ続けているのかもしれない問題について語ろう。

それは「やりたいこと」問題。あるいは「夢」問題とでも呼べる。

そもそもなぜ、大人は、きみたちに対して「やりたいこと見つけなさい」とプレッシャーをかけてくるんだろう？

「とくにない」なんて答えれば、「何かあるでしょ？　よく考えなさいよ」とちょっと不機嫌になる。と思ったら、こんどは「ほら、小さなころは電車が好きだったじゃない。車掌さんなんかどうなの？　鉄道会社は安定しているし」などと勝手に話を飛躍（ひやく）させていく。

セクハラやパワハラという言葉があるけど、こんなのはさしずめ**「夢ハラ」**ってところだ。ドリカム（ドリームズ・カムトゥルー）はともかく、ドリハラ（ドリーム・ハラスメント）はねえ（笑）。

この世の中ではやりたいことがあるのが、当たり前なんだろうか？

逆に、やりたいことがないのはダメなことなんだろうか？　ここでみんなに提供したいのは、それを考えるための視点だ。

もちろん、やりたいことや夢はあっていい。そこに向けて努力するのは、すてきなことだ。気力もエネルギーも湧いてくるだろう。ただ、やりたいことにとらわれすぎてしまうと、思いがけない人生のリスクを背負うことにもなりかねない。

そもそも、なぜきみたちはやりたいことを求められるのか。まずはそこから始めよう。

「将来、やりたいことは何？」「夢は何？」

学校の授業でも、きっとそんなことを聞かれたことがあるはずだ。

きみははたしてなんと答えただろう？　スポーツ選手は今も昔も花形だろうし、今ならゲームクリエイターもユーチューバーも人気の職業かもしれない。もちろん、もっと堅実（けんじつ）に見える職業を答えたかもしれないし、自分だけのこだわりの仕事や憧れの職業かもしれないね。

ただ、日本の学校は、昔から生徒に将来のやりたいことや夢を聞いてきたのだろうか。じつはそうでもない。それはこの10年、いやせいぜい15年ぐらいのことなんだ。

「キャリア教育」という言葉を聞いたことがあるだろうか。

これは、将来どんなふうに働き、どう生きていきたいのかを考え、そのための力をつけるための教育のこと。このキャリア教育が教育課程に導入されるようになってから、日本の学校はやたらときみたちに将来の夢を聞くようになった。

もちろん、学校の外に目を転じてみれば、昔から大人は子どもたちに将来の夢を聞きたがったのも事実だよね。けれど、それは家庭の中のこと。あるいは、せいぜいお正月などに親戚がたくさん集まったときくらいのことだった。大人たちはお酒も入って上機嫌になると、よく「将来は何になりたいの？」なんて聞いてきたものだ。

小学生に将来の夢を聞くのは、ある種、牧歌的な光景ともいえる。

子どもが野球選手やケーキ屋さんなどと答えると、大人は「うん、うん」と笑顔でうなずく。ゲームクリエイターと答えれば、ちょっと微妙な顔つきになるかな。それが声優やお笑い芸人だと、まあ、渋い顔をするのだろう。

そのくせ、中学生が「公務員になりたい」などと答えると、「もっと夢を持ちなさいよ」なんて勝手なことを言ったりもする。

そもそも、こういう将来の夢とかって聞かなきゃいけないことなんだろうか。

聞いておきながら、じつはそこには大人の都合なり価値観なりがにじみ出てしまってはいないだろうか。

「やりたいこと言わせ」の問題点

こんな感じで家庭では以前から見られ、学校でも最近はよくある風景になってしまった「やりたいこと言わせ」――あえてこんなふうに言うことにするけど――の問題点を考えてみよう。

問題点1 夢が職業に限定されている

そもそも、やりたいこと（夢）が、職業（仕事）に限定されてしまっている。

本来は、空飛ぶクルマを発明したい、大道芸をしながら世界中を旅したい、大好きな釣りをしながらのんびり暮らしたい、平凡（へいぼん）だけど家族と仲良く過ごしたいとか、もっともっとバリエーションが豊かな回答があってもいいはずだよね。

でも、なんとなく、「やりたいことは？」「夢は？」と聞かれると、それこそフツーの圧力で、自由には言えなくなる。**職業名を答えないといけないいんじゃないかと思ってしまう。**

これはやっぱり、やりたいことや夢のとらえかたとしては狭(せま)すぎるんじゃないだろうか。

問題点2
なりたい職業は専門職ばかり

まあでもここは、やりたいことを職業のレベルに限定して考えることにしよう。

でも、そうするとちょっと奇妙(きみょう)な調査結果を目の当たりにすることになる。

毎年、いろいろなところから子どもを対象にした「なりたい職業ランキング」が発表される。

中学生や高校生の場合、そこに登場するのはたいてい医師や看護師、教師、美容師などの専門職ばかり。女子だったら薬剤師や漫画家がランクインすることもある。男子だったら、ＩＴエンジニアをはじめとする技術者や警察官などが並ぶ。

これに対して会社員や公務員といった職業はあまり出てこない。とくに選択肢を設けずに自由記述で答えさせるようなアンケートになると、中高生の多くは「会社員」とは書かない。言いにくいのかもしれない。でも、よくよく考えたらこれはかなり不自然なことだ。

だって、**日本の子どもたちが将来、みんな専門職に就くなんてことはない。実際にはせいぜい1~2割程度にすぎない。**大多数は会社員や公務員として働く。そしてその場合は、実際にどんな仕事をするのかは、組織に入ってからでないとわからない。

会社（組織）にはいろんな部署と仕事がある。たとえば自動車会社に入ったとしても、誰もが車にかかわる仕事をするわけじゃない。経理の仕事をする人も当然いる。

もうひとつ。

こうした「なりたい職業ランキング」をよく見てみると、ある傾向に気づく。

それは、小学生対象の調査、中学生対象の調査、高校生対象の調査のいずれにしても、なりたい職業は「ない」という回答がかなりの割合を占めるということ。そして、学校段階が上がれば上がるほど、その傾向は強まっていく。

これをどう理解すればいいんだろう？

おそらく小学生は無邪気に答えれば、何かしらの職業を挙げるだろう。ただし、職業そのものをたくさん知っているわけでもないので、挙げられない子どももいる。

中学生になると、想像できる限られた専門職の中に、なりたいもの・なれそうなものがないと考え始めるようになる。それが「ない」の回答率を押し上げる。

高校生になるとその傾向はさらに強くなり、半分ぐらいが「ない」と答える。そういうことなんじゃないだろうか。

こう考えると、「ない」は無気力な回答のように感じるかもしれないけれど、そうとは言いきれない。なぜなら、専門職ではなく、会社員などになって「与えられた持ち場で全力を尽くしたい」というふうに考える人だって大勢いるはずなんだから。そういう人たちはやる気の問題とは無関係に、こうした調査では「ない」と答えるしかない。

話を戻そう。

なりたい職業に専門職ばかりが挙げられるのは、ほんとうのことをいえばまったく実態に合っていない。そして、そこにはじつはもうひとつの重要な視点も抜けている。社会の変化だ。

前にも話したように、以前の社会の変化がのんびりした流れだったとすれば、現代はまさに激流。世の中は日進月歩どころか「時進日歩」だ。

ぼくたちは、「やりたいこと」をついつい職業レベルに落とし込んでしまうけれど、これだけ変化が激しい社会だと、職業そのものが新しく生まれてくる。もちろんその逆もあって、消えていく職業もある。

そうだとすると、大人や学校はそうした社会変化を考えもせずに、今ある職業が未来永劫（みらいえいごう）続くかのような前提で、「将来つきたい職業は？」なんてきみたちに考えさせている？　そうだとすれば、それってホントは奇妙なことだよね。

「キャリア教育」の設計ミス

「将来やりたいことは？」という問いかけは、そもそも2000年代にキャリア教育が学校に取り入れられたときから始まっている。

キャリア教育が導入された経緯（けいい）を簡単に説明すると、大きなインパクトになったのは、就職難やフリーターの増加といった当時の若者たちの就職問題だった。

そのとき、若い人たちの働くことへの意識の甘さや働くための能力の不足が問題とされ、さんざん叩（たた）かれた。

けれども、就職難の原因はほんとうに若い人たちの意識や能力のせいだったのだろうか？　それはじつは怪しいとぼくは思っているけれど、でも当時はそうした意見が主流だった。

そのため批判のターゲットにされたのが、従来の学校教育では「働くこと」や「職業」について学ぶ機会がぜんぜんなかったという事実なんだ。だから、「キャリア教育の導入を！」となった。

実際、それまでの生徒たちは進学先を決めるにあたっても、「学校の知名度＋偏差値」と「自分の学力」を照らし合わせながら、できるだけ偏差値の高い学校を絞り込むというやり方をしていた。言いすぎかもしれないけれど、でもそういう傾向が強かった。

そこで、それはさすがにまずいと教育の専門家たちも指摘し始めた。教師たちも、子どもたちがどういう方向に進みたいのか、将来をちゃんと見すえたうえで志望校を選ぶべきだというふうに進路指導の方針を変えようとした。

教育の役割という点でみれば、この考え方は悪くない。

でも、やり方がまずかったかもしれない。
「だったら、将来やりたいことを最初に決めさせて、そこから逆算させることにしよう。そうすれば将来に向けて勉強もがんばれるし、進路選択もできるじゃないか」と。まあ、こんなところが出発点となったわけ。

でも、実際にはきみたちが将来やりたいということを完ぺきに受けとめてくれる高校なんて存在しない。専門学校や大学の学部でさえ、すべてが職業分野と直結しているわけではない（たとえば、薬剤師になりたいのなら、大学には薬学部がある。でも、出版社に入って漫画雑誌の編集者になりたくても、編集学部なんてものはどこにもない）。

こんなふうに、実態としては、将来の職業と高校教育、大学や専門学校の教育のあいだにはズレがある。だからやりたいことを職業レベルで言わせても進路指導の決め手にはならないケースも多い。

しかも、このやり方だと、やりたいことを職業名としては言えない生徒は当然困ってしまう。

一方で、「自分はこの仕事がしたい」と言える生徒は、早い時期からその職業にしか目がいかなくなり、他の職業には興味を失って視野を狭めてしまうということも起きる。

ぼくは大学の教員として大学生と日常的に接しているので、こういうケースにはよく出くわす。

「私の夢はアナウンサーになることです」という学生が（まあ、それを人前でも堂々と言うかどうかは分かれるけれども）入学時にはけっこういる。

たしかに超人気の仕事だから、小さなころから憧れて、それが将来の自分の姿だと信じ、がんばって生きてきた人がほとんどなんだろう。

そういう学生は目標がはっきりしているので、大学に入ってからもちゃんと勉強するし、自分を磨く。並行してアナウンススクールや講座などにも通って、しっかりとテレビ局などの入社試験の準備をする。

でも、やっぱり競争率が半端ではない世界だから、当たり前だけどみんながアナウンサーになれるわけじゃない。

で、残念ながら夢が破れたとき、人によっては「これからどうしたらいいんだろう」と目の前が真っ暗になってしまい、次の一歩が踏みだせなくなったりする。

「つぶしが効かない」というのはちょっときつい表現かもしれないけど、夢に向かって一直線に進んだことで、逆にそれ以外の可能性や選択肢を見落としていたんだろう。それって、なんともやりきれない思いがするよね。

やりたい仕事に就けなかったら不幸？

ここでちょっと発想を変えて、そもそも現在、社会人として働いている大人（きみの親もふくめて）は、やりたいことを仕事にできたのかを考えてみよう。

「はじめに」にも書いたけど、高校生のときに夢見ていた職業に就いている人は6人に1人くらいしかいない。つまり残りの8割以上の人はなりたい職業にはつけなかったことになる（65ページのグラフ参照）。

この結果だけを見ると、ちょっと悲しいというか、残念な感じもするよね。

でも、じゃあ夢だった職業に就けなかった人たちは現在の仕事にやりがいを感じていないいんだろうか。顔をしかめて、イヤイヤ毎日働いているんだろうか。

おそらくそうじゃないよね。

思いどおりの職に就けなくても、多くの人は仕事をしているうちに、そのおもしろさややりがいを実感するようになるんじゃないだろうか。ぜひ、きみもまわりの大人に聞いてみてほしい。きっとそう答える人が多いはずだ。

先の調査結果を見ると、また別の発見もできる。

それは、せっかく夢だった職業に一度は就けたのに、すでにやめてしまった人が

8パーセント弱もいること。つまり、実際に仕事をしてみたら、「あれ、思い描(えが)いていたのとは違う」とか「こんなはずじゃなかった」となったわけ。

でも、それも当然だよね。

だって、それって一度もその仕事をやってみたことがない段階での〝夢〟（ただの夢？）だったんだから。案外、仕事なんてそんなものなんじゃないだろうか。フタを開けてみなければわからないという意味で。

意外に思うかもしれないけれど、そもそもキャリア教育が導入される前の世代（今の30代以上）は、必ずしもやりたいことで職業を選んでいたわけじゃない。

もっと昔にさかのぼれば親の職業を継(つ)ぐ人はいくらでもいたし、親がすすめるからこの業界、この会

■ やりたい仕事に就けましたか？

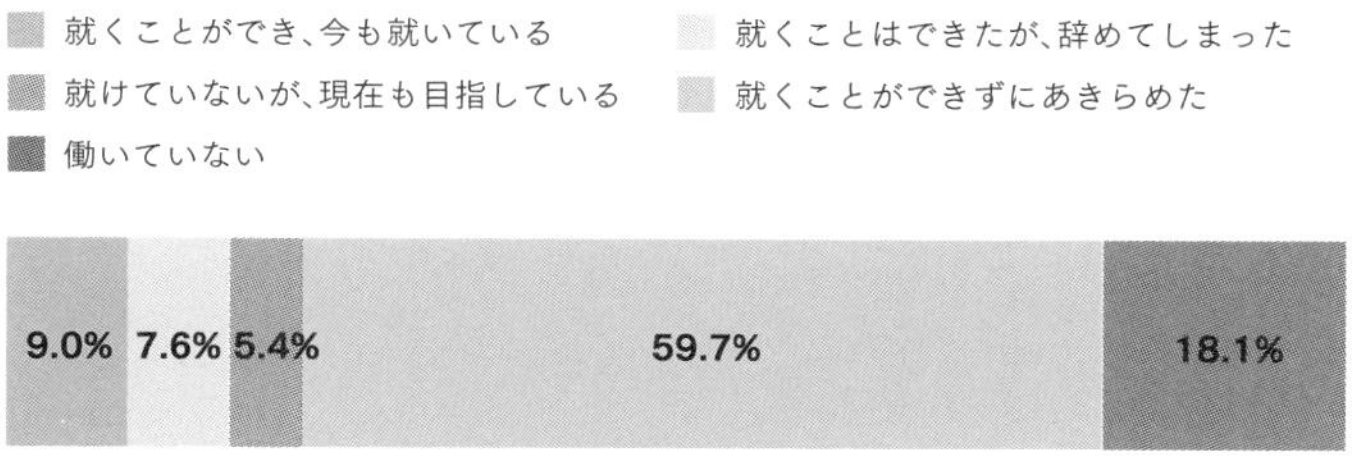

- 就くことができ、今も就いている
- 就くことはできたが、辞めてしまった
- 就けていないが、現在も目指している
- 就くことができずにあきらめた
- 働いていない

9.0%	7.6%	5.4%	59.7%	18.1%

資料：モッピージョブ「子どもの頃の夢と職業比較調査2017」

社に入ったという人もけっこういた。それでその人たちが不幸になったのかといえば、決してそんなことはない。だから、きみたちも、もっと柔軟に将来を考えていいんだ。

与えられた場所でがんばろうという考え方があってもいい。

いや、あってもいいどころか、昔はそういう考え方のほうが主流だったはず。だって、やってみなければ、その仕事が自分に合っているかどうかなんてわからないし、会社に入ったっていろんな部署があって、どんな仕事をすることになるかはわからないんだから。

「だったら今から無理矢理に選んだってしょうがないじゃん」くらいの感じで、ゆるく考えて全然かまわない。会社の知名度や、休みや給料が多いといった待遇重視の決め方だって問題があるわけではない。

とにかくぼくが言いたいのは、「やりたいこと」という軸だけが、将来の選択をするときの唯一の基準だという考え方は、ほんとうはすごく狭いということなんだ。

やりがい
収入
福利厚生
親のすすめ
大企業

その人が、人生でどんなふうに仕事をしていくのか、仕事上の経歴をどう積んでいくのか、それを「ワークキャリア」と呼んだりする。

じつは、このワークキャリアは、ほとんどの場合、偶然（ぐうぜん）のチャンスがそれをつくっていく。「えっ？」と思うだろうか？　でも、それを理論的に提唱したのがジョン・D・クランボルツというアメリカの心理学者なんだ。

彼は、転職などを経て複数の仕事を経験している人たちにインタビューをし、転職のきっかけが何であったのかを聞き取って調査をした。すると、驚いたことに、転職のきっかけの8割は、本人が事前に計画したり準備したりしていたことではなくて、偶然のチャンスによるということがわかった。

つまり、ワークキャリアの8割は偶然がつくる。こうした彼の主張は今では有力な学説として多くの人に支持されている。

クランボルツはスタンフォード大学の教授だから、彼の調査はアメリカのものだけど、日本でもこれは当てはまるんじゃないだろうか。

たまたまいっしょになった職場の同僚が起業することになって、その会社に誘われたとか、偶然テレビで目にした途上国の支援団体に心を動かされて、その世界に飛び込んだとか。そんな話は日本でもゴロゴロある。いや、むしろそんな偶然によって織り上げられているのが人の働き方だし生き方だと言ってもいい。

机に座って思い描いた、計画どおりの未来をそのまま歩んでいる人なんてまずいない。社会に出る前のきみたちにも、ぜひこの事実を知っておいてほしい。

そもそも、人は働かないとダメなの？

「やりたいこと」という軸を突き放して（相対化して）みるために、そもそも「人はなぜ働くのか」を考えてみよう。

職業社会学という学問の領域がある。そこでは「人がなぜ働くのか」について、端的に３つの答えが出されている。

① **収入を得る**

② **自己実現**

③ **社会参加**

①の**「収入を得る」**は言うまでもなく大前提だよね。人は食べていかなくてはいけない。そのために働く。

②の**「自己実現」**は、これまで語ってきた「やりたいこと」に近い。やりがいを感じられる仕事だから人はずっとそれを続けられるともいえるね。

③の**「社会参加」**はどうだろう。「ん？」と思った人もいるんじゃないだろうか。

じつは、働くことは社会に参加することであるという視点は、多くの人に抜け落ちてしまいがちだ。それについて少し話してみよう。

人は仕事をすることで収入を得て、やりがいも得る。

これは、働くということが持つ、ぼくたち個人を支える側面だ。

でも、ほんとうはそれだけじゃない。

ぼくたちが仕事をすることによってこの社会は維持(いじ)され、発展してきた。つまり、一人ひとりが仕事上の役割をはたすからこそ、毎日のみんなの暮らしが成り立っている。これは、働くということの社会を支える側面と呼べるだろう。

材料をつくる人、材料で組み立てる人、完成品を仕入れる人、運ぶ人、店舗(てんぽ)で販売する人……こうした人たちがする仕事の分担のありさまを**「社会的分業」**と呼ぶ。

みんながそれぞれの持ち場で社会的分業に携(たずさ)わることで、ぼくたちはよりよい製品やサービスを享受(きょうじゅ)できる。そう考えると、職業を選ぶとは、自分がどの仕事を通じて社会に参加し、社会に役立とうとするのか、それを選び取る作業でもあるということがわかるだろう。

どうだろう？

こうした視点を持つと、視野が少し開けてこないだろうか？

もしきみがこれまで、自分のやりたいことだけ、つまり自己実現の軸だけで考えようとして途方に暮れていたのなら、ぜひこう自問自答してみてほしい。

「自分がこの社会で役立ちたいこと、あるいは役立てることって何だろう？」

きっとこれまでとは異なる選択肢が浮かんできたりするんじゃないだろうか。

その仕事は10年後には消えている？

やりたいことや職業に関して言うと、未来には未来の働くかたちがあることを意識しておくことも必要だろう。

何度も言うように（もう聞きあきたかな？　笑）、今、社会の変化はすごく早い。きみたち10代が社会人になるころには、働くかたちは相当に変わっている。その後もきっとどんどん変化し続けるだろう。

すでに今の時点で考えられる大きな環境変化がふたつある。

ひとつはＩＣＴ（通信情報技術）がどんどん進化することによってもたらされる変化だ。

「ソサエティ（Society）５・０」という言葉が近年使われるようになった。これは、ぼくたちの社会の未来像として提唱されているもので、人間社会は次のように段階的に発展してきて、今後も発展していくとされている。

ソサエティ1.0：狩猟社会

狩猟採集によって人々が暮らしていた社会のこと。

ソサエティ2.0：農耕社会

農耕を始めたことで人々が定住するようになり、共同体ができた。

ソサエティ3.0：工業社会

工業技術の発展で工場などでの大量生産と大量消費が始まった。

ソサエティ4.0：情報社会

世界がネットワークでつながり情報が価値を生みだす社会になった。今、ぼくたちはここにいる。

ソサエティ5.0：「超スマート社会」とも名づけられた。

ソサエティ4・0がさらに発展し、リアルとバーチャルが融合する社会。今より快適で便利な世の中になるといわれる一方で、人々の格差が広がると予想する専門家もいる。いずれにしても、きみたちが大人になるころには、このソサエティ5・0

の世の中になっているはずだ。

ソサエティ５・０ではＩＣＴも飛躍的に進化する。そしてＡＩ（人工知能）はいろんな分野で当たり前のように使われているだろう。人間の労働のかなりの部分をＡＩとロボットが取って代わっているかもしれない。

ＩｏＴ（Internet of Things）の進展で、あらゆるモノがインターネットにつながれば、たとえば医者がネットワークを使って遠方に住む患者を診断し、遠隔で治療を施したり、薬を処方したりすることも当たり前になるだろう。

また、ＡＩとロボットが世界中の膨大な医療情報データベースのビッグデータの中から患者の症例を瞬時に照合・診断するようになれば、どんな名医の知見もＡＩにかなわなくなってしまうかもしれない。そうなると人間の医者はＡＩ医師をサポートする側に回るのだろうか？

でも、患者の心情としては、「やっぱり人間の先生に診断してもらいたい」と思うかもしれないね。すると、そこには人間の医者とＡＩがタッグを組むような新しい仕事のチャンスが芽生えたりするのかも。

こんなふうに、ソサエティ５・０の実現が、人の働き方や暮らし方、そして生き方を変えていくのは間違いない。

そうした時代へきみたちは先陣を切って突入していく。

だとすると「今ある職業の中でどれを選ぼうか」なんてスタンスは、ちょっとズレてるって思わないか？

２０２０年からのコロナ禍で、リモートワークやオンライン学習は世の中に一気に広がった。でも、こうした働き方や学び方は、ほんの少し前まではじつは一部の世界（ひょっとしたらＳＦの世界？）に閉じ込められていたはずだ。

また、ＩＣＴの発展で、これからはパラレルワークもどんどんできるようになるだろう。パラレル（並行）という言葉どおり、ひとつの仕事に限定せず、いくつかの仕事を掛け持ちする働き方。そうなると、仕事のやりがいについてのとらえ方や感じ方も変わってくるにちがいない。

いずれにしても、こうした環境変化は、きみが将来を考えるうえでも欠かせないものになる。

80歳まで働く社会が到来する！

さて、もうひとつの環境変化について。

これは社会の変化というより、人間の寿命が伸びることによってもたらされる生き方の変化といえる。

「はじめに」でも少し書いたけれど、最近は「人生１００年時代」という言葉をよく聞くようになった。たしかにまわりを見渡しても、元気に活躍している高齢者は多い。もしかしたらきみたちの祖父母もそんなひとりかもしれない。

日本人の平均寿命は女性が87・45歳、男性が81・41歳（2019年）。これは今後も伸びることが確実視されている。そして少子高齢化が進むこの国では、将来的には人は80歳まで働くようになるという予測がある。

つまり、きみが22歳で大学を卒業して働き始めるとすると、80歳になるまで、じつに58年間も働き続けることになる（これも前にも書いたけれど）。

ちなみに、現在は60歳または65歳で定年を迎えてリタイアすることがほとんど。けれども、おそらくこれは段階的に伸びていく。定年の年齢が上がっていくのは、個人にとっての経済的な必要性もあるけれども、じつは社会の側からみれば、年金制度を維持していくためといった「事情」もあったりする。

少し脇道にそれたので元に戻そう。

要するに、**人生100年時代になると大卒後から80歳まで58年間も働くことになるけど、そんな長い期間、ずっと同じ働き方をする人はまずいないだろう。**

つまり、働くステージはひとつでなく、いくつかに分かれる。

ひとつの会社に入り、生涯ずっとそこで働き続けるなんて人はホントにめずらしくなって、転職はますます当たり前のことになる。

また、仕事に注ぐエネルギーといった部分では、集中的に仕事に専念する時期もあれば、子育てや家族の介護を優先させる時期もあるというように、状況によって働き方のペースを変えるようになるだろう。

高齢になってからは、むしろ自分のライフワークとして社会貢献を意識して働く時期だっておとずれるかもしれない。

また、自分自身に充電するための期間を設けたり、知識や技能を新しく習得するために大学や大学院などに再入学するなんてこともきっとめずらしくなくなるだろう。「生涯学習」という言葉はずいぶん前からあるけれど、いよいよこれが本物になって当たり前のことになる。

こんなふうに考えると、今のきみの目に映っている職業や働き方をだけを基準にして自分の将来を決めてしまうのはちょっと窮屈（きゅうくつ）すぎると思わないだろうか？

「やりたいこと」にとらわれなくていい

それではこの章のまとめ。

気がつけば、日本は「やりたいこと」や「夢」を強要してくる社会になっていた。

ときには、社会全体の空気が、いやフツーってやつが、半ば脅迫（きょうはく）めいた感じで「将来の夢は？」なんてつめ寄ってくるからやっかいなのだ。「それ、もう〝夢ハラ〟ですよ」と反論したくもなるよね。

でも、きみたちは、ほんとうはそんなにとらわれ過ぎなくいいんだ。

将来、実現したいことや気になる仕事が自然に浮(う)かんできたのなら、自分の中でじっと温めておけばいい。

でも、世の中は変化するし、環境もどんどん様変わりしていく。だから情報収集は怠(おこた)らずに、ほかの世界にも広く興味を失わないようにしておくことが大事だ。

逆に「やりたいこと」がまだ見つからないきみも、ぜんぜん焦(あせ)らなくていい。

もちろん、「やりたいことのない自分はダメ人間か」なんて自分を責める必要もまったくない。

だって、いつか「何か」に出会うかもしれないじゃないか。

今は、いつか何かに出会えるように、自分の中に小さな**「資源」**を蓄(たくわ)えていくといい。

資源とは、自分の中の小さな感動のこと。

自分は何が好きか、得意か、何をやっているときが面白いか、充実(じゅうじつ)しているか。そうしたことに自覚的になって、コツコツ蓄えていってほしい。すると、いざというときには「やってみよう」と一歩を踏(ふ)み出せるんじゃないだろうか。

10代のきみたちは、それで十分なんだと思う。

第3章

働くって、なんだ？

「いい仕事」って、どんな仕事？

大人気のユーチューバーだけど、いろんな調査で小中学生にとって憧れの職業にランクインをし始めたのは、たしか２０１７年あたりからだった。

この本を読んでいるきみも、もしかしたら「将来は自分も！」と思っているかもしれないね。

たしかに、再生回数の多い人気ユーチューバーは年収もケタ違いだ。9歳で30億円を稼ぐアメリカの少年も登場し、世界中をあっといわせている（ちなみにその男の子は7歳から3年連続でユーチューバーの収入ランキングで世界1位を獲得しているんだ！）。こんな状況を目の当たりにすると、そもそも働くこと、お金を稼ぐことってなんなんだろうと、正直大人だって戸惑ってしまう（笑）。

第3章
働くって、なんだ？

この章では、こんな時代に「働く」ということについて、あらためて考えてみたい。

さて、世の中には、働くことについてのイメージがさまざまに流布している。中には、「仕事(働く)ってこうだよね」という強固な思い込みもあったりする。第1章でみたフツーってやつがそうした思い込みを支えている。

仕事はつらいのが当たり前とか、勤務時間は9時から5時までとか、いい会社に入らないと面白い仕事ができないとか……ありとあらゆるフツーがある。

でも、前にも言ったように、フツーは信じすぎないほうがいい。疑ってかかるくらいで、ちょうどいいんだ。

たとえば、「いい仕事」ってよく言われる。でもそれってなんだろう？

「あの人はいい仕事に就いている」って、きみの周りの大人たちはよく言うんじゃないだろうか。もしかしたらきみだって、「将来はできるだけいい仕事に就きたい」

なんて思ってたりしないかな？

じゃあ、その「いい」ってなに？　給料がいいこと？　休日が多いこと？　残業がないこと？　もちろんそうしたこともあるだろう。

ほかにも、知名度のある大企業で働くことや、医者や弁護士といった社会的地位の高い職業を「いい」と思っている人もいるだろうね。

でも、別の側面からの考え方もある。

「いい」というのは自分に合った仕事のこと。あるいは自分にとってやりがいが感じられる、夢中になれる仕事のこと。そう考える人だってきっといると思う。

こうやって考えると、「いい」ってじつは多様だし、人によってとらえ方がさまざまだと気づく。場合によっては真逆だったりもする。ある人にとっては「ひどく退屈でつまらない仕事」も、別の人にとっては「適当にしていればお金がもらえるほんとうにラッキーな仕事」となるんだから。

また、残業は多いけれど、世の中から尊敬されているからいい仕事だと思う人もいれば、どんなに感謝されようと忙しすぎるのはごめんだと思う人だっているよね。**要するに、その人がどんな「ものさし」で測ろうとするかで、いい仕事かわるい仕事かが変わってくるんだな。**

だって、「給料の高さを取るか、やりがいを取るか」なんて選択をもし迫られたら、答えは人によって違うはず。全員が一致してどちらか一方を選ぶなんてことはありえない。そうした選択の背景には、その人がどんなことを幸せと考えるのかという価値観の問題がある。

だから、10代のきみたちに「これはいい仕事だよ」などとためらいもなく語る大人の話は鵜呑みにしてはいけない（もっとも、その人がどんなものさしを持っているかを見極めながら話を聞けば、少しは参考になるかもしれないけどね）。

転職するのはいけないこと？

仕事とは特別なもので、ひとつの職に就いたら生涯をかけてやり抜くべき——こんなイメージを持っている人も少なくないんじゃないかな。

実際、テレビでは仕事を極めた人のドキュメンタリー番組をよく見るし、これまできみたちが読んできた〝偉人伝〟はたいてい仕事で何かをなし遂げた人の物語だったはずだ。

「あなたは来年か再来年、どこにいると思いますか？」

これは、転職が当たり前とされているアメリカで、従業員の仕事（職場）満足度を調査するときの典型的な質問なんだ。

でも、じつはこの質問は、少し前までは「あなたは5年後、どこにいると思いますか？」だった。

これはつまり、アメリカではもう5年も先のことなど見当がつかないほど転職が日常化していることをあらわしている。とりわけミレニアル世代と呼ばれる30代以下の若い人たちにその傾向が強いという。むしろ若い世代は一カ所に長くとどまるのは向上心のない、怠惰な人間だとさえ感じているようなんだ。

じゃあ、日本はどうだろう？

30年以上前だったら定年まで同じ仕事を続けるのは当たり前のことだった。そもそも職業の種類は今ほど多くなかったし、変化も今ほどは激しくなかった。

会社勤めの場合でも、企業は年齢に応じて給料が増えていく「年功序列型」といわれる賃金制度を整えていた。

有給休暇や社員の家族も対象にした保険を整備するなど、いわゆる「福利厚生」

も手厚くしていた。

つまり、企業の側も、雇った社員にはできるだけ定年まで働いてもらおうと考えていたわけ（ただし、ここでの「社員」というのは男性社員のこと。第1章で見たように女性社員は結婚を機に退職すると想定されていたので）。

その意味では、かつては転職する人はめずらしく、場合によっては〝ドロップアウトした人〟というような印象で見られていた。ましてや何度も転職を繰り返すなんてもってのほか。それがフツーの考え方だった。

でも、今ではそのフツーの大前提が崩れてきた。

会社の側も社員を定年まで雇おうとはしないところが増えてきた。

社員の側も同じ会社で働き続けることにこだわらなくなり、チャンスがあれば積極的に次の会社に移るようにもなった。

結果として現在、統計を見ると20代半ばから30代前半の社会人の半分は転職経験者になっている。ここから40代、50代と年齢を重ねるにつれて、当然のことながら転職者の割合はさらに増加していく。

アメリカと同じように、日本でもすでに同じ会社に所属し続ける人は少数派になっているんだね。

これからの時代、きみたちは、「ずっと続けられる仕事（会社）を見つけ、一生そこに留まることが働くことだ」なんて考える必要はない。**少し乱暴な言い方になるかもしれないけれど、仕事選びに「人生をかけるような一大決心」はいらない。**

■ 卒業して最初に勤務した会社に勤めていますか？

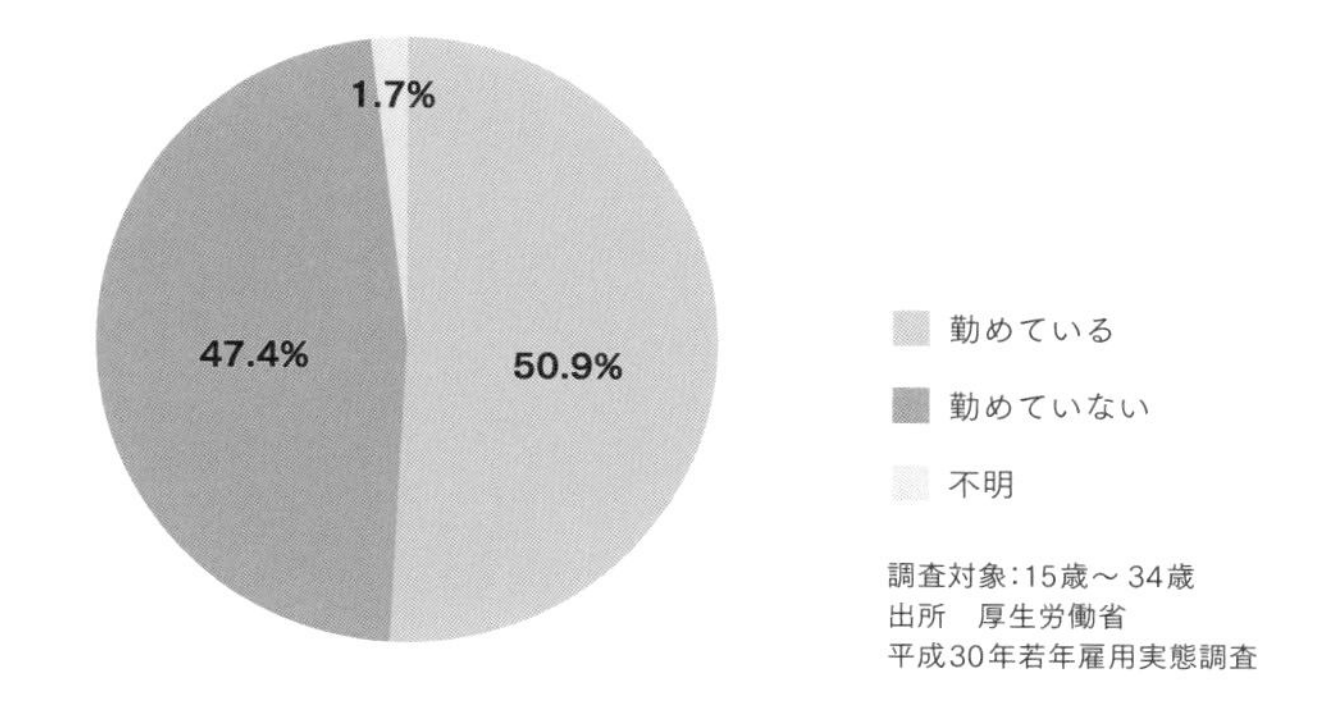

たしかに仕事を選ぶことは大きな決断ではあるけれど、実際に働き出してから、「ああ、働くってこういうことだったのか」とあらためて気づいたり、「この仕事（会社）は自分にはしっくりこないな」と思えば次にチャレンジすることを考えてもいい。

今は間違いなくそんな時代に突入している。

これは会社側にとっても同じだ。

日本では若者の早期離職（りしょく）が社会問題だとされてきた。

よく「七五三」なんて言われ方をするけれど、中卒の7割、高卒の5割、大卒の3割が入社した会社を3年以内に辞めてしまう（実際は、統計的には高卒は4割で、大卒は4割に近い3割台なんだけど）。

この事実に対しては、「たいした経験も積まずに転職を繰（く）り返すと、働くためのスキルを身につけられない。それは大きな問題だ」といった見方がされる。

でも、この早期離職って、ほんとうは誰にとっての問題なんだろうか？

もちろん、若者のことを心配して言ってくれている場合もあるだろう。

だけど一方で、辞められたら困る人たちの恨み節にも聞こえる。試験や面接を経てようやく採用し、研修や教育をして、さあいよいよ戦力になるなと思った矢先に辞められるのでは大損だ――そんな会社の側の都合がにじみでてはいないだろうか。

ほんとうは、これだけ転職が当たり前の時代になったのだから、雇う側も意識を変える必要があるんだと思う。

5人に2人は正社員ではない

さて、世の中にはどんな働き方をしている人たちがいるんだろう。

ここでいくつかの例を見てみる。

★自動車会社に勤めるAさん

月曜から金曜まで働き、土日は休み。就業時間は朝9時から夕方5時までだけど、わりと残業があったりもする。

★レストランでシェフをしているBさん

月曜はお店が定休日なので、火曜から日曜まで働いている。お店は夕方から開くので、就業時間は午後4時から午後11時まで。忙しい日とそうでない日の差は激しい。

★消防士として働くCさん

曜日によって勤務日が決まっているわけではない。24時間勤務を3日間続け、その後2日間の休みをとる。このパターンを繰り返して働いている。勤務中に行う訓練も多い。

これらは仕事の種類によって、曜日や時間などは違うけれども、基本的にはフルタイムの仕事だね。

それに対して、パートタイムやアルバイトのように、時間を限定して働く仕事もある。そうした仕事は、家事や育児と仕事を両立させたい主婦や、学業と仕事を両立させたい学生が選ぶことが多い。

いや、少なくとも昔はそうだった。けれども今は、雇用情勢が厳しくてなかなかフルタイムの仕事が見つからないという人が、主婦でも学生でもないけれど、とりあえずパートタイムの仕事に従事しているということもある。

ところで海外の常識では、働き方の分類はフルタイムとパートタイムしかない。

でも、日本にはこれとは異なる分類があること知っているだろうか。

きみも**「非正規雇用」**という言葉を聞いたことがあると思う。これは、半年や1年など、雇用の契約期間が決められている人の働き方のことだ。

これに対して**「正規雇用」**という言葉がある。いわゆる「正社員」の働き方を指す。この人たちは雇用期間が決められていない。だから特別な事情がない限り、定年まで雇用契約が続いていく。

パート、アルバイトといったパートタイムの働き方は、基本的には非正規雇用であることが常だ。

一方、正規雇用である正社員はたいていはフルタイムで働く。

でも、ちょっとややこしいのは、フルタイムで働いている人がすべて正社員とは限らないということなんだ。

えっ？　どういうこと？

じつは、フルタイムで働いていても「契約社員」や「派遣社員」と呼ばれる人たちがいる。きみもテレビドラマとかで耳にしたことがないだろうか。

契約社員は働く会社と直接、雇用契約を結ぶ。

一方、派遣社員はその人を派遣する派遣会社と雇用契

■ 正規雇用と非正規雇用の生涯賃金の違い（2017年）

男性	正規雇用		非正規雇用
生涯賃金	1億8264万3400円	＞	1億422万9800円

女性	正規雇用		非正規雇用
生涯賃金	1億3686万1100円	＞	8309万9600円

資料：年収ガイド（正規・非正規の収入格差）
https://www.nenshuu.net/sonota/contents/seiki.php

約を結んでいる。

これらの人たちは非正規雇用に分類される。

ここが日本の雇用問題のややこしくてやっかいなところであり、働く立場であるぼくたちからすればかなり困ったところ。

だって、同じ時間に、同じ場所でフルタイムでいっしょに働いているのに、あの人は正規雇用だけど、この人は非正規雇用という事態が生じている。

その理由が、仕事の内容や責任が明らかに違うというのならまだ理解できるけれど、ほとんど変わらない場合も少なくない。

それなのに給与や処遇、将来性では明らかに差が出てくる。ざっくりと言えば、**非正規で働く人の賃金は正規で働く人の6割ほどだ。生涯年収で何千万円もの差がつく**という試算もある（97ページの表参照）。

この事実をきみはどう感じるだろうか？

■ 非正規雇用の人数とその比率

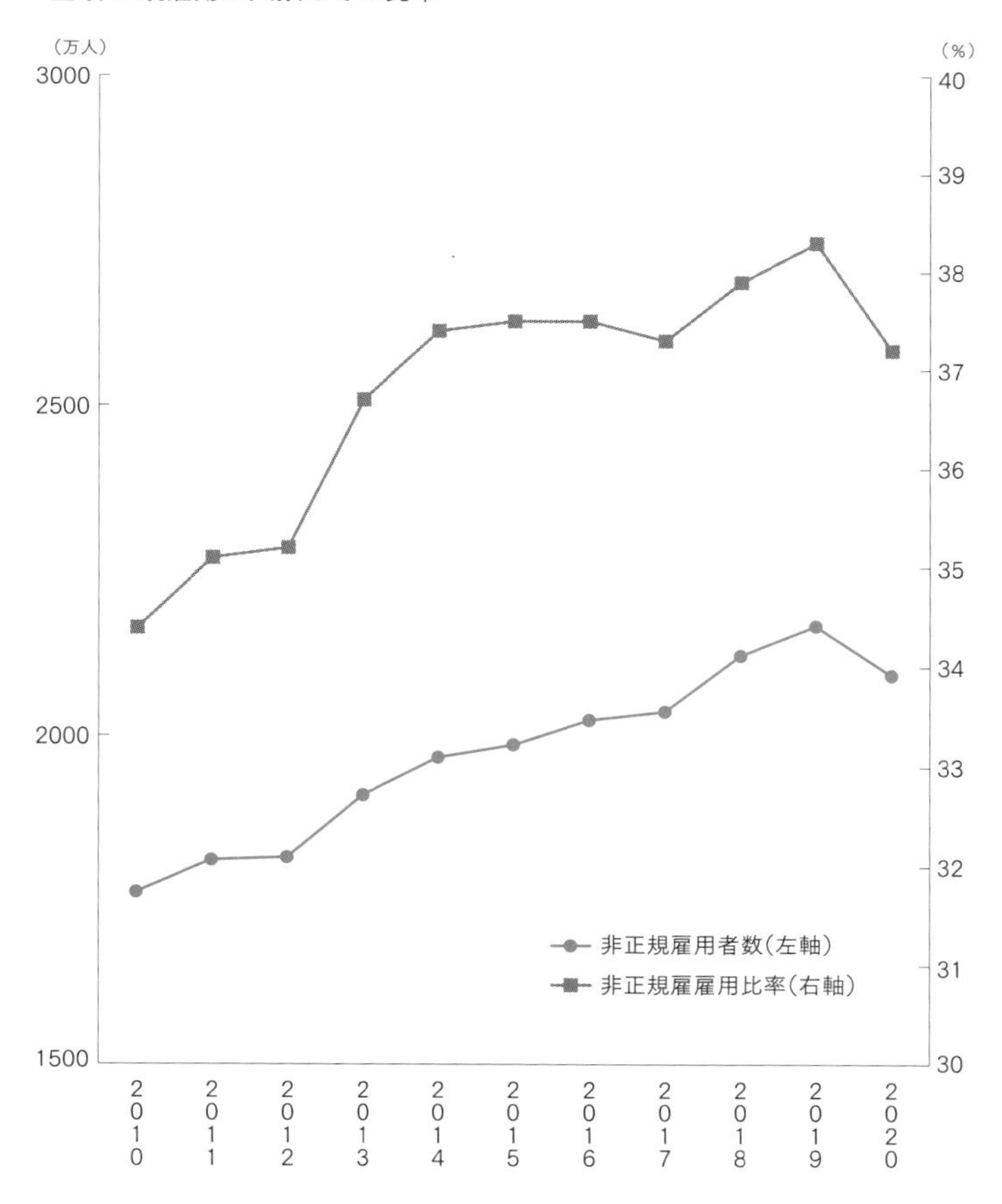

資料：総務省「労働力調査」

そして、さらに……。

じつは今の日本では、働いている人全体の5分の2が非正規雇用だ（99ページのグラフ参照）。どう考えてもこれはちょっと多すぎるんじゃないだろうか。

昔は非正規雇用の割合は低かった。非正規にあたるのは主婦のパートか、学生のアルバイトくらいだったから。

ついでに言えば、「正社員」なんていう、何だかとってつけたような呼び方もなかった。「パートさん、アルバイトさん」を除けば、職場で働いている人はみんな「社員」だったから、わざわざ「正」なんて付ける必要はなかったんだ。

知る人ぞ知る、ことではあるんだけど、非正規雇用については、ちょっとショッキングな話題もある。じつは、求職者に職業を紹介（しょうかい）する「ハローワーク」の職員（相談員）の多くが非正規雇用で、その数は1万人以上にのぼるんだよね。つまり、今は就職の相談にのっている方々もご自身が雇用契約切れとなれば、こんどは自分の就職先を相談する側に回る可能性があるというわけなんだ。

これはちょっと悪い冗談(じょうだん)にしか思えない。

実際、統計によると、全国の公務員の４人に１人は非正規雇用だ。がんばって働いても貧しいままという意味で、「ワーキングプア公務員」とか「官製ワーキングプア」などとも呼ばれている。かつては安定した職場というイメージが強かった公務員も、非正規雇用化という点では今や例外ではなくなっている。

すでに話したように、非正規雇用の人たちは、正規雇用者に比べると賃金はもちろん、社会保障や福利厚生などの面でかなり不利な立場に置かれている。しかも、雇用の期間に定めがあるので、将来の見通しが立てにくい。企業内での教育もじゅうぶんに受けられず、仕事のスキルを向上させにくいというハンディキャップもある。

会社側にとっては、非正規雇用の人たちを雇うメリットとして、給料を安く抑(おさ)えられる、景気の調整弁になる（景気がいいときは人を増やして、悪いときは減らせる）といったことが挙げられるだろう。

ただ、格差の広がりが社会に大きな影響を与えるようになって、政府も近年ようやく重い腰を上げて、非正規雇用の問題に真剣に向き合い始めたように思える。

２０１８年、「働き方改革」の一環として、国は**「同一労働同一賃金」**の原則を打ち出したんだ。

これは言葉のとおり、正規・非正規にかかわらず、同じ内容の仕事をしているのなら同じ賃金や処遇にしなさいというもの。

正規・非正規なんていう区別がない諸外国であれば当たり前の原則。日本ではまだスタートラインについたばかりの政策だけれど、きちんと実効性のあるものにしていかなくてはいけないと思う。

雇われない働き方？

きみはこう思っているかもしれない。「働くって、どこかの会社に雇われることでしょ」と。

もちろん、それも正しい。

会社員に限らず、公務員の場合は国や自治体に、それから私立学校や私立の幼稚園の先生なら学校法人に雇われている。福祉関係の仕事をしている人なら社会福祉法人に雇われていることが少なくない。

でも、世の中を見渡すと、農業をやっている人もいれば個人でお店を開いている人もいる。最近では起業家として自ら会社を設立する人も目立つ。

日本では昔から会社に雇われて働く人のことをサラリーマンと呼んできた。サラリーは月給っていう意味（マンだと男を指すので、ほんとうは〝サラリーパーソン〟と呼ぶべきだけれど）。

統計を見ると、戦後の日本ではサラリーマンの割合がどんどん増えてきた。その理由は、経済が発展して企業の数が増え、日本の経済界がそれだけサラリーマンを必要としたからだ。

同時にこれには、第1次産業から第2次産業さらには第3次産業へと主力となる産業が転換していったことも関係している。

農業や漁業のような第1次産業の担い手は時代を経るごとにどんどん減っていった。また、小売や飲食などの第3次産業においても店舗（てんぽ）が大型化し、全国に展開するチェーン店などが増えて、個人で営む小さなお店はどんどん消えていった。反面、起業家の数はさほどは増えなかった。要するに増加したのは、雇われて働くサラリーマンだけだったということだ。

こうした現象は、じつは日本人の働き方にマイナスの影響を及(およ)ぼしているのではないかとぼくは思っている。

なぜなら、誰もが会社などの組織に属するような働き方に向いているわけではないから（きみたちだって、スポーツは団体競技より個人競技のほうが好きだし得意だという人も多いだろう）。

昔だったらじつは、組織で働くことには向いてない人たちにもちゃんとおさまるべきところがあった。農業にしても自営業にしても個人として生業(なりわい)を営み、暮らしていくことができた。映画『男はつらいよ』の寅さんみたいな人だっていた。

でも、今はそうした人たちの受け皿が少なくなってしまった。

だからきみたちにしてみれば、今の日本社会は、専門職を目指す人以外は、会社員になるしか選択肢(せんたくし)がないように見えてしまっているんじゃないだろうか。

これも、サラリーマンが増えすぎた日本の社会の欠点と言える。みんなが組織に属して働かなきゃいけないなんて、考えてみればすごく窮屈(きゅうくつ)な社会なんじゃないだろうか。ほんとうはもっといろいろな選択肢があっていいはずなのに。

でも、残念ながら今は「社会人＝立派な会社人」。将来、自分に勤まるのかなあなんて、きみたちが不安になるのも当然かもしれないね。


ただし、状況は大きく変わろうとしている。

第2章でも話したように近未来のソサエティ5・0では、ＩＣＴ（情報通信技術）やＡＩ（人工知能）が飛躍的に進化し、人生１００年時代がやってくる。

ＩＣＴやＡＩの進化が加速する社会では、きっと個人がどんどん新しい仕事をつくれるようにもなるだろう。それはなにも華々しくＩＴ企業を立ち上げるということじゃなくて（もちろんそれもいいけど）、たとえばＡＩやロボットを活用した「スマート農業」が実現すれば、ひとりで農業をしながら豊かに暮らせるようになるかもしれないってことだ。

また、何度も伝えているけれど、人生１００年時代になれば、人はおそらく80歳く

らいまで働くようになる。半世紀を超える職業人生の中で、ある時期は雇用されて働いても、ある期間は雇用されずに働くなんてことがあってぜんぜんおかしくない。

つまり、きみたちは時代の変わり目にいるんだから、もっと柔軟に考えていいってことだ。

そもそも大多数の人が会社に雇われて働くようになったのは、長い歴史の中でもここ何十年の話でしかない（少なくとも日本では明治時代以前には会社なんてなかったんだし！）。

もう一度、個人の時代に戻ったとしてもなんら不思議ではないだろう。

「働きたくない」は許されるか

第3章

働くって、なんだ？

この章を締めくくる前に、ひとつだけ触れておきたいことがある。いや、触れておかなくてはならない。

きみは、こう思ったことはないだろうか。

「そもそも人って働かなくちゃいけないんだろうか？」

お金がないと生きていけないのはわかる。でも、お金のためにガマンガマンの日々の連続っていうのは、やっぱりいやだなあ、と。

たしかに、生きていくためのお金を稼ぐことだけが、人が働く理由なのだと仮定したら、宝くじで10億円当たった人は、そのあとは働かなくてもいいことになるよね（よほどムダづかいする人は別として）。親から莫大な財産を相続した人も条件としては同じになる。実際にそんな状況にあって働かないという人もいるかもしれない。

でも、それでＯＫなんだろうか？　もちろん、他人に働くことを強制することはできないし、働く意思がない人には何を言っても通じないかもしれないけれど。

ところで働くことについて、日本国憲法には次のように書かれている。

第二十七条　すべての国民は、勤労の権利を有し、義務を負ふ。

憲法では働くことを**「勤労」**と表現している。それはぼくたちの**「権利」**であり**「義務」**でもあると記されている。これはどういう意味なんだろう？

この本の第2章で「人はなぜ働くのか」について考えたけれど、答えは次の3つだった。

① 収入を得る

② 自己実現

③ 社会参加

生活するにはお金がいるし、お金を稼ぐためには働かなくてはならない。だから①の**「収入を得る」**は権利とか義務とかというよりは、ある意味必然だ。

②の**「自己実現」**はどうだろう？

たしかに働くことを通じて、ぼくたちはやりがいを感じたり、自己実現ができる。それは憲法のいう勤労の**「権利」**に対応するのだろう。つまり、日本国民であれば、誰でもこれを追求する権利があるというわけだ。

③の**「社会参加」**は、ゆるやかではあるけれど憲法における勤労の**「義務」**に対応しているといえる。

ぼくたちは一人で生きているわけではなく、社会に支えられて生きている。だから可能な限りは社会にも貢献（こうけん）すべき、つまりお返しをすべきだという考え方になる。

もちろん、ここでいう「義務」とは働かないと罰（ばっ）せられるといった意味の義務じゃない。言い方はむずかしいけれど、人として生きていくうえでの**「つとめ」**とでも表現したらいいだろうか。

「人は働かないといけないの？」という問いに、ぼくはこう答えたい。

働かないとダメとは言えない。そもそも労働は誰かに強制されてやるものではない。

でも、きみが社会で生きていく以上、働けるのであれば、そうすることが人としての「つとめ」なんじゃないだろうか。

もっと言えば、「可能ならば人としてそうありたい」という理想、いわば生き方の哲学のようにぼくには思える。

だから、その場合の「働く」は、フルタイムでなければならないということはない。さらにはお金を稼ぐという意味での「賃労働」でなくてもいい。たとえば無給のボランティアだって立派な「働く」なんだ。人は協力し、支えあってこの社会をつくっているんだからね。

きみの目の前に広がる可能性

さて、この章をまとめよう。
ぼくたちはこんなことを考えてきたはずだよね。

- **仕事における「フツー」にどう向き合うか。**
- **いろんな働き方がある中で、どう働くか。**
- **そもそも人はなぜ働くのか。働かなくちゃいけないのか。**

どうだろう？
働くことについて考えることは、自分がどう生きたいかを考えることだと言えないだろうか。

そこにはたったひとつの正解なんてないし、フツーもない。自分自身が考え続けていけばいいことなんだ。

そう聞くと、なんだか大変な時代に生まれちゃったなと思うだろうか？

まあ、たしかに半分は当たっているかもしれないけれど、ため息をつく必要はない。どう働くかを自分で考え判断して、切り開ける時代に入ったのだから。きみはきみの親よりも、祖父母よりも、じつは恵まれているともいえる。じつは自由なんだ。

きみたちの目の前には、かつては考えられなかった可能性や選択肢が広がっている。そのことを喜ぼうじゃないか！

第4章

きみたちはこんな社会にこぎ出ていく

「ガラスの天井」って、なに？

この章できみに伝えたいこと。
それは今、社会が大きく動き出し、これからも劇的に変わっていくという事実。
その要素はいくつもある。これまでの章でも人生100年時代やソサエティ5・0
については話してきた。
ここではまず最初に、こらからの日本社会でカギとなる女性の働き方のこれから
（未来）について考えてみよう。

日本では1990年代から**「男女共同参画社会（だんじょきょうどうさんかくしゃかい）」**が掲（かか）げられている。
これは「男性も女性も、意欲に応じて、あらゆる分野で活躍（かつやく）できる社会」のこと。

そんなの当たり前じゃないと思うかもしれないけれど、でも昔はそうじゃなかったんだから。

女性は組織の中で重要な地位に就くことができずにいることが圧倒的に多かった（きみたちには想像もつかないかもしれないけれど、会社での女性社員の役割といえば、もっぱら来客や男性社員にお茶を出すことだったり、仕事のサポート役をやらされることだったり！）。

その大前提として、そもそも男は外で仕事、女は家を守るという考え方が一般的だった。だからそういう前提にたって、女性社員の仕事はいわば結婚するまでの「腰掛け」とみなされ、補助的な業務に限定されていた。

1985年には**「男女雇用機会均等法」**が制定された。男性と女性の雇用の機会や待遇において、差別をなくすことを目的とした法律だ。

けれども、この均等法時代になっても、企業の新卒採用には「総合職」「一般職」

といった区分が設けられていた。総合職とは、会社において責任のある仕事をする立場の社員で、一般職はその総合職をサポートする立ち場の社員だ。

前者は男子学生向け、後者は女子学生向けと書いてあるわけじゃない（そんなことをしたら完全に法律違反だから！）。

でも、そういう採用区分を設けることで、企業は暗黙の前提のごとく、総合職には主として男性を、一般職には女性を採用した。これは明らかに均等法以前の雇用のあり方を意識したものだよね。

さすがに今ではこれまでのような性別による役割分担の意識はずいぶん変ってきた。もちろん十分ではないけれど。そして、２０１６年には女性が活躍できる職場環境を整備するための**「女性活躍推進法」**も制定された。

人々の意識も変化し、法律もつくられた。女性が活躍できる社会への流れは強くなってきているはずだ。

では、完全な男女平等の社会は実現したのだろうか？

うーむ。若いきみたちだって、じつは「ＮＯ」と答えるんじゃないだろうか。

第1章でも触(ふ)れたように、女性の年代別就業率をあらわす「Ｍ字型曲線」がこれからどうなっていくかを見てみればいい。

すでに紹介(しょうかい)したけれど、Ｍ字の真ん中の落ち込みは以前と比べると少なくなった。これは、出産や子育て期にあたる20代～40代の女性たちが子どもを産んだあとも働き続ける（られる）社会になったことを示している。

現在、1人目の子どもを出産したのち、仕事を継続(けいぞく)している女性の割合は50パーセント強。それを今後、70パーセント、80パーセントへと上げていくためにはもう一段の環境整備も必要になるだろう。

たとえば都会では保育園の待機児童問題がある。保育園に入れたいけれど、空きがなくて入れられないという親はかなり多い。こうした問題がしっかりクリアできなければ、出産後も就業する女性の割合が飛躍的に上がっていくことはない。

さらに、女性だけではなくて男性の長時間労働の解消も重要な課題だ。働く時間が短くなれば、子育てをしながら働く女性に優しいだけでなく、男性も家事や育児に参加しやすくなる。それは間違いなく女性の就業率の上昇にも貢献するはずだ。

じゃあ、もしこうした条件が整ったとすれば、もはやそれ以上の障害は残っていないんだろうか？

いや、じつはまだひとつ手強い壁が立ちはだかっている。

それは女性の働く意欲の問題。いや正確に言うと、女性たちが出産したあとも働き続けたいと思えるかどうかの「働きがい」の問題だ。

誤解のないように言っておくけど、個々の女性の、働き続けることへの意欲の有無や高低を問題にしようというわけではない。女性たちが出産後も働き続けたいと思えるような社会をぼくたちがつくれているかどうかという問題だ。

「ガラスの天井」という言葉を知っているだろうか？

日本には、働く女性の昇進を妨げるような法律はない（当たり前のことだけど）。また、昇進のチャンスを男女で差別するような就業規則もないはずだ。就業規則は会社ごとに決めるものだけど、もしもそんなものがあったとしたら明らかに差別（人権侵害）だ。

でも、法律や規則になければ差別などは存在しないということになるだろうか？

ここが難しいところだけど、現実はそうじゃない。

じつはぼくたちの社会には、会社をはじめとするあらゆる組織において、女性が昇進することをはばむ目に見えない壁が存在している。

たしかに頂上は見えている。あるところまでなら昇れる。

けれど、どうしてもそれ以上先へは行けない。まるで「ガラスの天井」でさえぎられているかのように――。こんなものがあるせいで、どれだけ女性の働く意欲が削がれているのか、計り知れない。

もちろんガラスの天井なんてとっくの昔に破られ、女性が昇進していきいきと働いている会社もあるだろう。

でも、残念ながらそうじゃない会社のほうが圧倒的に多そうだ。理由は、仕事と子育ての両立を支援する社会の仕組みが十分に整えられていないことにあるし、さらには会社側が本気で女性を登用しようとしないという意識の問題も大きい。

要は、多くの会社、いや日本社会における多くの組織は、なんだかんだ言っても結局は男性中心社会になっている。

リーダーシップを発揮する立場にある女性が少ないのは、だから企業だけのことじゃない。日本の内閣を見れば、大臣はほぼ男性が占めているよね。あれが日本社会における女性の立場（地位）を象徴的に示しているともいえる。

政治や経済、教育などの世界でどれだけ女性が活躍しているのかを示す「男女平等指数」（ジェンダー・ギャップ指数）の国際ランキングを見ると日本は156カ国中で120位（2021年度。124ページの表参照）。それで先進国なの？　愕然とせ

■ 男女平等指数　156カ国比較

順位	国名	スコア
1	アイスランド	0.892
2	フィンランド	0.861
3	ノルウェー	0.849
4	ニュージーランド	0.840
5	スウェーデン	0.823
6	ナミビア	0.809
7	ルワンダ	0.805
8	リトアニア	0.804
9	アイルランド	0.800
10	スイス	0.798
11	ドイツ	0.796
16	フランス	0.784
23	英国	0.775
24	カナダ	0.772
30	米国	0.763
63	イタリア	0.721
81	ロシア	0.708
102	韓国	0.687
107	中国	0.682
120	日本	0.656
156	アフガニスタン	0.444

資料：世界経済フォーラム（World Economic Forum）
「Global Gender Gap Report 2021」

■ 各分野における日本の順位

分野	順位
経済	117位
政治	147位
教育	92位
健康	65位

ざるを得ない順位だよね。

こんな状態は早く解消したいものだけれど、そのためには日本全体が総がかりで取り組まなくてはいけない。M字曲線の是正も、ガラスの天井の解消も、一人ひとりが本気でこの社会を変えようとするかどうかにかかっている。

「働きバチ」社員はいなくなる？

では、男性の働き方はどうなっていくんだろう？

きみたちが生まれるよりずっと前、バブル経済が絶頂期のころ、視聴者に向かって「24時間タタカエマスカ」と勇ましく呼びかける栄養ドリンクのTVコマーシャルが話題になった。

ロボットでもあるまいし、眠らないで働くなんてできるわけがない。なのに、当時を振り返ると、ある種のリアリティを持ってその言葉をみんなが受け止めていたという事実がある。実際、このフレーズは１９８９年の流行語大賞にも選ばれているんだ。今から考えると、ちょっと背筋が寒くなるような気もするけれど（笑）。

しかし、そもそもなぜ当時の人々はそんなにがむしゃらに働いていたんだろう？

かつて、「働きバチ」と呼ばれた人たちは、ほんとうに長時間労働だった。夜10時、11時まで職場にいるなんてことはザラだった。

しかも、その実態は大部分が「サービス残業」だったりもした。つまり、残業代がつかないのに、定時を過ぎても働いていたわけ。なぜだろうか。

当時は今以上に「同調圧力」が強くて、自分の仕事が終わっても、上司や同僚より先に帰れない雰囲気があった。もちろん同期をはじめとして社員のあいだには昇格や昇給をめぐる競争も存在していた。

けれど、もっとも大きな動機は「滅私奉公」という、この時代のサラリーマンたちを動かしていた心性、行動原理にあったんじゃないだろうか。

「滅私奉公？　それって江戸時代？」と思うよね。

でも、当時は働く側にとっても雇う側にとっても、働く時間の長さこそが愛社精神の強さを示すバロメーターだった。

夕方5時で帰るあいつより、夜10時まで会社に残っているオレのほうがエライ――そんな考え方をしていて、それこそが同僚からも上司からも評価されるという感覚をみんなが共有していた。

だから家庭もろくに顧みず、「私」の生活を犠牲にしてでも「公」に尽くそうとした。もっとも、尽くしていた相手は国などの公的機関なんかじゃなくて、民間企業であることが圧倒的だったんだけど。まあ、「会社共同体」の住人たちにとっては、会社こそは「公」であったといえる。

もちろん、今ならそんな働かせ方をする会社は〝ブラック企業〟とレッテルを貼られる。仕事とプライベートをバランスよく充実させようという**「ワークライフバランス」**の意識も浸透している。だから滅私奉公なんていう意識を持つ社員はほとんどいなくなっているはずだ。

それなら、今はかつての働きバチは絶滅したのだろうか？

いや、じつは、そうとは言いきれない。

時間に関係なくモーレツに働く社員は今でもいるし、しかもそれは日本だけの現象ではない。

アメリカでもヨーロッパでも、エリートと呼ばれるようなビジネスパーソンは、残業もいとわないし、エネルギッシュにとにかくよく働く。

ただし、それに見合うだけの高給と処遇が与えられている。そこが日本の滅私奉公とちがうところ。モーレツに働くけれど、人の何倍も給料をもらい、休暇もポンと数カ月まとめて取れたりもする。

しかも、そんな働き方をするのは人生の中の一定の期間だけと割り切っていることも多い。巨大企業の重要なポストで働く人は、年俸が億単位なんてケースはザラだ。ただ、そのぶん激務だし、プレッシャーも半端じゃない。そして一生そんな状況で働き続けるのかというと、そうじゃない。長くて4〜5年くらいともいわれている。たとえばニューヨークのウォール街やロンドンのシティといった金融街で活躍するディーラー。ものすごい年収だし、それこそ「24時間タタカエマスカ」を地でいっているような人も少なくない。けれども、そんなペースで働くのはたいていは数年のことだったりもする。その後は、人生の次のステージやキャリアへと移っていく。

それに比べると、日本人の働き方がなぜ特殊なのかがわかってくる。

端的に言ってしまうと、エリートではない人までがモーレツ社員であることを求められる。しかもそれに見合うだけの給与や処遇が保証されない。これって、ヘンだよね？

なぜ、そんな働き方に耐えられるんだろう？

バブル経済のころまでであれば、いちおう説明はつく。多くの人たちが働きバチ状態に耐えた理由は、日本の会社の仕組みとして、若いときには安い給与で働かされても、年齢を重ねていけば給料が増えて、いずれは帳尻が合うようになっていたからだ。

しかも、定年退職するまでちゃんと会社が面倒をみてくれる。どんなに仕事ができなくてもクビになることはなかった。

年功序列型の賃金と終身雇用の合わせ技。それがつくりあげた「長期つじつま合わせ社会」が、「24時間タタカエマスカ」の背景にあったわけなんだ。

でも、残念ながら（残念に感じるかどうかは、人によるだろうけど）、それはもう過去の話。

年功序列はまだ少しはあるかもしれないけれど、終身雇用は崩れ、転職も日常化している。こうした状況を踏まえると、日本人の働き方が今後どう変化していくのかも少しは見えてくるんじゃないだろうか？

① 滅私奉公型のモーレツ社員はどんどんいなくなる。
② 一方、一部のエリートはモーレツに働く。ただし、それに見合う給料と待遇を得られる。つまり、世界標準に近づいていく。
③ そうではない人、ノンエリートである大多数のぼくたちは滅私奉公を強いられることはなくなる。むしろワークライフバランスを意識しながら働く。ただし、見返りはそれなりのものになる。

きっとこうしたすみ分け、〝働き分け〟ができる世の中になっていくのだろう。

もちろん、どんな働き方をしたいか、個人の意志が尊重されて選べるようになる（会社側の事情を無視することはできないけれど）ことがベストなのは言うまでもない。

血のつながり＝家族はもう古い？

これから大きく変わっていくもののひとつには家族のあり方も挙げられる。祖父母、親、子どもがいっしょに暮らす3世代家族。これは40年以上前の日本であればごく当たり前に見られる光景だった。

けれども、時代がすすむにつれて、親と子どもだけの核家族（かくかぞく）の割合がどんどん増えていった。

『サザエさん』の磯野家（いそのけ）はまさに3世代が同居する大家族だったけど、『ドラえもん』の野比家はまさに核家族だよね。パパとママ、そしてのび太の3人家族で、おじいちゃんとおばあちゃんはいっしょに暮らしていない。

現在では、子どものいる世帯の8割以上が、野比家のような核家族だ。きみの家や友だちの家も、だいたいそんな感じじゃないだろうか。

もうひとつの家族の大きな変化は、世帯に生まれる子どもの数が減少してきたこと。1人っ子世帯は、子どものいる世帯全体の中で45パーセントちょっとを占め、その比率は年々増えている。ちなみに、あらためて考えてみると、のび太もスネ夫もしずかちゃんもみんな1人っ子だね。

さらに1990年代に入ってからは別の変化も見られるようになった。子どものいる世帯そのものが減少してきたんだ。

今では全世帯の中で、子どものいる世帯は2割強でしかない。世帯全体でみれば、「単身世帯」と「夫婦のみの世帯」が増えていて、子どものいる世帯はすっかり少数派になってしまっている。

一方で、第1章でも話したけれど、生涯未婚率も上がってきているんだったよね。現在でも男性の24・2パーセント、女性の14・9パーセントが一生に一度も結婚をしていない。これから先はもっとその割合は高くなり、1人暮らしの単身世帯が増えていくだろう。

要するに、**核家族化と少子化がすすみ、子どものいない世帯が増え、そもそも家族を持たない人も多くなっているというのが今という時代のトレンドだ。**

こんなふうに、家族をめぐっては大きな変化が訪れていることが、はっきり見て取れる。

それなのに日本では、今でも「標準世帯」という概念が根強く残っている。例によって「フツー」というやつなんだけど、フツーの家族という観念がいまだにはびこっていると言ってもいい。

標準世帯とは、もともとは国の統計や税金の試算などで使われていたもので、両親と子ども2人の核家族として設定されていた。

きみたちが学校で使っている教科書にも、そんな家族が登場していないだろうか？　それってじつはとっくに少数派になっているんだけれど（すでに指摘したように、子どもがいる世帯が２割しかいなくて、そのうち１人っ子世帯が45パーセントを占める）、ぼくたちはなぜか根強くそのイメージに引きずられているところがある。

しかも困ったことに、この標準世帯はいまだに年金や社会保障といった重要な政策を国が決定するときの暗黙の前提のように機能していたりもする。家族にまつわる「フツー」は、そういう意味でもやっかいだ。

さて、厳密にいえば今まで話してきたのは、婚姻関係を結んでいる（つまり結婚届を役所に提出して、法律で認められた）夫婦による家族のことだけだった。

でもよく考えてみれば、現在の日本には、婚姻関係を結ばずに「事実婚」というスタイルでいっしょに暮らしている夫婦も少なくない。姓を変えたくなかったり、互いに自立した関係でいたかったり、理由はさまざまだ。

法律に基づく婚姻関係を結ぶ場合、日本では夫か妻かどちらかの姓を名のらなくてはならない。そして婚姻後に姓を変えるのは、妻が96パーセントと圧倒的に多い。でも、その妻が結婚後も仕事を続けたりする場合、あるいはそうでなくても社会生活のさまざまな場面で不便をこうむったりすることがある。さらには、姓は生まれたときからの自分のアイデンティティ（存在証明）なんだから、変えたくないという人だって当然いる。だから、夫婦別姓を望む人たちは少なくない。

政治の世界でも、そうした人たちの意をくんで**「選択的夫婦別姓(せんたくてきふうふべっせい)」制度**を導入しようとする動きが出てきたけれども、政治家の中にはじつはこれに反対する人も多い。

このあたりが、さっきも言ったけれど、「男女平等指数」（ジェンダー・ギャップ指数）において日本が１５６カ国中１２０位であるゆえんだと思うんだけど。

それはともかく、こうした事実婚の夫婦、あるいは家族の姿は統計には反映されていない。

また、LGBTQ(※)と呼ばれる人たちもカップルになって家族をつくっている。日本の自治体の中にも条例で同性婚を家族として認めようとする動き(パートナーシップ制度の導入)も出てきている。

けれども、こうした人たちも含めて公的に「家族」と認められるようになるまでには、まだずいぶんと時間がかかりそうだ。

※レズビアン(女性同性愛者)、ゲイ(男性同性愛者)など、性的少数者全般をあらわす言葉。

少し前までは考えられなかったことだけれど、家族の多様化はすでにそうとうに深く進んでいる。おそらくこれからももっと進んでいく。

そうなると、「家族」というのは何も性愛で結びつく関係だけに限らなくなっていくんじゃないだろうか。自分たちが感じるある意味での親密さを求めていっしょに暮らす人たちだって生まれてくるかもしれない。「疑似家族」とでも言おうか。今だってルームシェアをしたりシェアハウスなどで同居し、まるで家族のような関係をつくって暮らしている人たちもいるんだから。

シェアハウス

事実婚

大切なことは、これから確実に起きる家族の多様化を、ぼくたちがどう受けとめるかだろう。

現在の標準、つまりフツーから外れているからといって、「それは違う」「変だ」などと言って異端視していると、そういう人こそが「変だ」と思われるような時代がすぐそこまで来ているんじゃないだろうか。

きみのまちが消滅する可能性

最後に、きみたちが住むまちや地域がどうなっていくのかを考えてみよう。

その点では、2005年は重要な節目だった。

なぜなら、戦後、ずっと右肩上がりで増え続けてきた日本の人口が、この年を境についに横ばいに転じたのだから（正確にいえば、２００５年以降しばらくは若干の増減を繰り返したが、２０１１年以降は継続的な減少傾向に入った）。**ピーク時には1億2800万人にまで膨れ上がった日本の人口は、2055年には1億人を下回ると予測されている（141ページのグラフ参照）。**そのとき、きみたちはいくつになっているだろうか。まだまだ現役、働き盛りの世代のはずだよね。

では人口が減ると、どうなるのか？

じつは、今生きている日本人は誰一人として、持続的に人口が減少していく時代を生きた経験がない。

だからすごく想像しにくいんだけれど、まずは人がいなくなることで、当然ながらモノの需要が減っていくだろう。

それは経済の規模が小さくなることを意味する。そうするとこれまでは当たり前だったサービスが受けられなくなるかもしれない。

■ 日本の総人口の推移

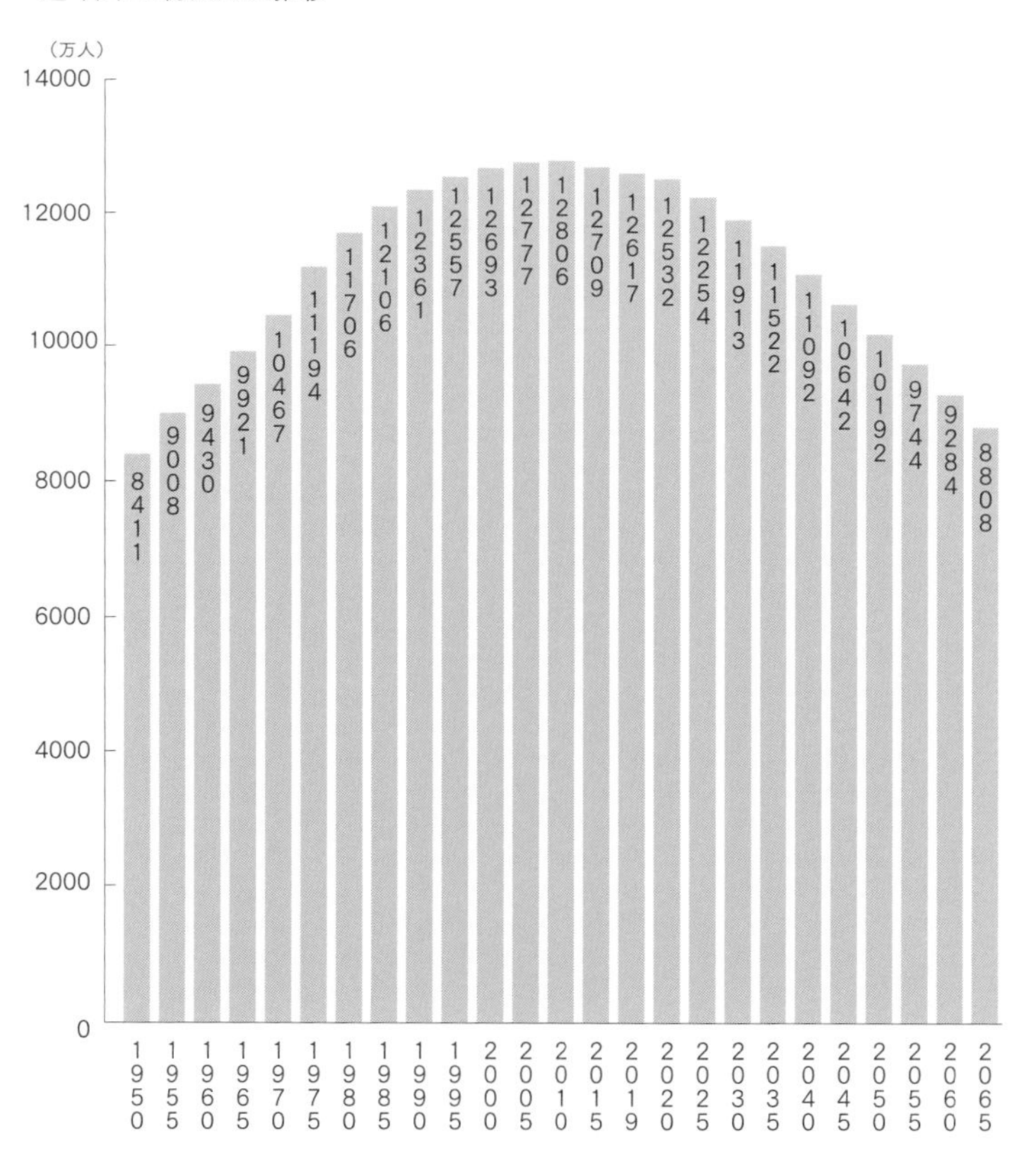

資料：内閣府　高齢社会白書（2020年版）

想像しやすいのはきみの家の近所のコンビニだろう。現在の人口だからそのコンビニは存在できているわけで、人口がぐっと減ったらなくなるかもしれないよね。今通っている学校もそうだ。学校の統廃合(とうはいごう)は現在でも全国各地で発生している。

人口が増え続けていた時代にも、地方には「過疎化(かそか)」という現象があった。地方から都会へ人が出ていくためにその地域の人口が減り、行政サービスが維持(いじ)できなくなるなど、さまざまな問題が起きた。

人口増の時期ですらこうした問題があったのだから、日本全体の人口が加速度的に減少する局面に入ったら一体どうなってしまうのだろう?

2014年、有識者でつくる民間研究機関の「日本創成会議(にほんそうせいかいぎ)」が、日本の自治体が将来、どのくらい存続できるかという可能性を探った。

その調査報告によると、**2040年までに、出産可能な年齢(ねんれい)の女性人口が半減する都市は「消滅可能性(しょうめつかのうせい)」があるとされ、その数はなんと全国896市区町村にのぼること**

がわかった（144ページの図参照）。日本にある市区町村の数は1720ちょっと。とすると、これはじつに日本の全自治体の半分にあたる数だよね。

将来、自分の住んでいるまちがなくなるかもしれない。

この予測は人々に大きなショックを与えた。きみのまちはどうだろうか。調査結果はホームページなどでも確認できるからぜひチェックしてみてほしい。

消滅可能性都市は、現在でも過疎に直面している地方のまちが多いけれど、なんと東京都の豊島区も選ばれている。つまり、都会だって他人ごとじゃないということ。

もちろんこれはあくまで予測。だから、このとおりになるかどうかはわからない。危機感を抱（いだ）いて、さっそくさまざまな取り組みを始めた自治体もあるので、その場合は取り組みが成果を挙げるかもしれない。

ただ、きみたちには自分が暮らす地域社会に、将来これくらい大きな変化があるかもしれないということはしっかりと頭に入れておいてほしい。

■ 消滅可能性都市の分布

資料：日本創成会議

ところで日本創成会議の予測では、ひとつだけあえて除外している要因がある。それは、今後、日本が外国人労働者を移民として本格的に受け入れるかどうかの判断。予測は移民は受け入れないという前提でシミュレーションをしている。

ということは、もし日本が移民を積極的に受け入れるという方向に舵を切った場合には、人口減少には歯止めがかかり、場合によっては増えるということだって十分に考えられる。そうすると、地域の消滅可能性というストーリーも大きく変わっていくよね。

実際、世界の国々を見渡すと、アメリカはもちろん、ドイツやイギリス、オーストラリアなど移民を受け入れている国はたくさんある。

もちろんこれまでの日本にも外国人労働者がやってきてはいる。

ただ、従来の移民政策はかなりいびつな形になっていた。というのも、日本の法律では基本的には、高度な技能を持っている人だけに就労が可能な在留資格が与えられることになっているのだから。

でも、きみも気づいているよね。実際はコンビニや飲食店など、身近なお店で外国の人たちがすでにたくさん働いていることに。地方の農場や工場で働く人も多い。もはや外国人の働き手の存在なしには成り立たない産業もあるくらいだ。

だけど、そういう人たちは留学生や技能実習生（技能実習や研修という目的でビザが発給され、日本に在留している外国人）として日本へやってきている。だから、移民としての外国人労働者ではない（ということになっている。少なくとも日本政府にとっては）。つまり、今の日本は外国人労働者の受け入れについて、制度と実態、タテマエとホンネが合致（がっち）していないといえるんだ。

近い将来、このまま日本社会の人口減少が待ったなしの状態になったときには、さすがに日本政府もこうしたいびつな移民政策をあらため、正式に移民を受け入れる決断をするかもしれない。それは今後の日本社会のあり方を左右する大きな決断になるだろう。

「グローバル化」という言葉を、きみもよく耳にするだろう。

それは何もきみたちが海外に行って活躍（かつやく）することだけを指しているんじゃない。日本に外国人がふつうに働きにやってきて、きみたちと共生していくということでもある。グローバル化のもとでは、労働力が国境を越（こ）えて行き来する。若いきみたちは、そんな日本の未来についてもぜひ思いをめぐらせてみてほしい。

きみはどんな未来をつくりたいか

この章のまとめは、これまでの章とは違うかもしれない。

社会は変化し続けてきたし、これからもますます変化していく。このことには同意してもらえると思う（というか、もはや聞きあきてると思う。笑）。もちろん、これからどう変わっていくのかについては、予測も入ってくる。予測だから当たらないこともある。

でも、ほんとうは予測が当たるかどうかよりも、もっと大切なことがあるんだ。

それは、**きみたちが将来、どんな社会をつくりたいのか**ということ。

「えっ、社会なんてつくれるの?」

「世の中なんて変えられないでしょ」

きみは、そう思っているんじゃないだろうか?

諸外国との比較(ひかく)調査を見ると、社会問題についての若者の関心度は、日本は常に最下位だ。社会を変えられると思っている人の割合も最下位(149ページの表参照)。

調査結果からは、どうせ世の中なんて変わらないでしょ、変えられるはずはないよ。そんな声が聞こえてくる。

■ 各国の若者の国や社会に対する意識

	自分を大人だと思う	自分は責任がある社会の一員だと思う	将来の夢を持っている	自分で国や社会を変えられると思う	自分の国に解決したい社会議題がある	社会議題について、家族や友人など周りの人と積極的に議論している
日本	29.1%	44.8%	60.1%	18.3%	46.4%	27.2%
インドネシア	84.1%	92.0%	95.8%	83.4%	89.1%	83.8%
インド	79.4%	88.0%	97.0%	68.2%	74.6%	79.1%
韓国	49.1%	74.6%	82.2%	39.6%	71.6%	55.0%
ベトナム	65.3%	84.8%	92.4%	47.6%	75.5%	75.3%
中国	89.9%	96.5%	96.0%	65.6%	73.4%	87.7%
イギリス	82.2%	89.8%	91.1%	50.7%	78.0%	74.5%
アメリカ	78.1%	88.6%	93.7%	65.7%	79.4%	68.4%
ドイツ	82.6%	83.4%	92.4%	45.9%	66.2%	73.1%

資料：日本財団「第20回　18歳意識調査」（2019）

でも、ほんとうにそうだろうか？

日本社会を変えるなんて、たしかにそんな大それたことを自分一人で実現するのは無理かもしれない。

だったら、自分がいる身近なグループはどうだろう。学校のクラスはどうだろう。部活はどうだろうか。

そこにあるのも、小さいけれどじつは立派な「社会」だ。変えたいところはきっとあるはずだよね。だったら、変えるためのアイデアや行動も少しはイメージできるんじゃないだろうか。

最初はそれでＯＫ。**自分の半径5メートルくらいから、ぜひチャレンジしてみてほしい。**しかも、何度も言うように、今はチャンスが広がっている時代だ。これまでのフツーがなくなりつつあるんだから。〝敵〟の防御はゆるんでいるんだから。

「フェアトレード」という言葉を聞いたことがあるかな？

公平な貿易という意味で、途上国の弱い立場の生産者と先進国の強い立場にある企業が対等に取引をすることだ。

今でも途上国の生産者は、原料や製品を安く買いたたかれたり、低賃金で働かされたりすることが少なくない。貧困から児童労働もまんえんしている。

こうした搾取(さくしゅ)をなくそうと、生産者に適正な価格を支払い、きちんと利益を配分するフェアトレードが注目され、今ではビジネスとして成立するようになった。長年続いてきたビジネスの仕組みが、そうやって少しずつよい方向に動きだしている。少しずつかもしれないけれど、社会は変わっていくし、変えることができるいい例だと思う。

こう考えると、この章のタイトルである「君たちはこんな社会にこぎ出ていく」の意味合いも変わってくるんじゃないだろうか。

つまり、「こんな社会が待っているんだから、そこに適応しよう」ではなくて、「自分たちの望む社会を自分のたちの手でつくろう」という意味に。

女性はガラスの天井をどんどん突き破ればいい。男性も女性もそう願うのであれば、モーレツ社員であることを積極的に選んでもいい。ワークライフバランスを大切にしたいのなら、そうすればいい。家族の多様なかたちを実践してみてもいい。社会の活力をもたらすために、移民を受け入れる多文化共生社会をめざしてもいい。

きみは未来をどんなふうにでも変えられる。

もちろん、すべてが思いどおりになったりはしない。でも、何もしないで「社会なんてこんなもの」とあきらめるヤツより、社会を変えようとチャレンジするきみははるかにカッコいい！

第5章

学校の勉強は役に立つか？

勉強なんて役に立たない、というフツー

「退屈な授業が俺達の全てならば
なんてちっぽけで　なんて意味のない　なんて無力な　15の夜」

かつて、1980年代の若者たちのカリスマだった尾崎豊はこう歌い、叫んだ。今から40年近く前の曲だけれど、その歌詞は当時の若者の胸にまっすぐに届いた。何を隠そう、ぼくもそのひとり（笑）。

学校なんて、勉強なんて、なんだかちっぽけなことで、意味がないんじゃないか

――もしかして、今のきみもそう思ってはいないだろうか？

「二次方程式なんて仕事で使うの？　こんな勉強して将来なんの役に立つの？」

第5章

学校の勉強は役に立つか？

きみがそんな疑問を持つのは当然といえる。

尾崎豊の歌だけじゃなく、小説でも、漫画やアニメでも、映画でも繰り返し学校の勉強のつまらなさや無意味さが描かれてきた。もはや「学校の勉強なんて意味あるの？」という疑問は世の中の「常識」（カッコ付きだけど）になっているみたいに。


でも、それってほんとうなんだろうか？

ぼく自身もかつてはそう思っていた。

けれど、そんな「常識」、つまりはフツーってやつをいったん疑ってみたら、ちょっと違う見方ができるようになった。

この本もいよいよ最後の章になった。ここではズバリ「学校の勉強は役に立つのか？」についていっしょに考えてみたい。

「役に立つ」って、どういう意味？

さて、「勉強はぜんぜん役に立たない」とか「いや、けっこう役立つよ」とか、そんなふうに、ぼくたちがなにげなく使っている「役に立つ」という言葉。

よくよく考えてみると、それってどういう意味なんだろう？　考えたことはあるだろうか。

ぼくは次のように整理できるんじゃないかと思っている。

① 即効型

これは、「役立ち感」（役立つなって思える感覚）をすぐに感じることができるもの。

小学生が引き算を学べば、買い物をしたときにお釣りがいくらになるかわかる。割り算を教えてもらえば、おやつを均等に分けることもできる。

こうした内容は、じつは小学校だけではなくて中学・高校の学びの中にもあるはず。「なるほどそうだったのか、これは知っておくと役立つな」と感じることだ。

② 時間差型

「役立ち感」を実感できるまでには時間がかかるけれど、いつかは①の即効型と同じように役立つと思えるもの。

たとえば九九を習っている小学2年生は、その時点では九九の意味なんてわかっていないだろう。おそらくは呪文のように繰り返し九九を唱えて、ひたすら暗記していく。だから、そのときには「役立ち感」は持ちようがない。

けれども、上の学年になってもっと複雑な計算をするようになると、九九を暗記していてよかったなと思うにちがいない。あるいはかけ算の意味と使い方がわかると、日常生活の中でその便利さに気づく。つまり、役立ち感が時間差をもってやってくるということだ。

これもまた中学・高校の学びでも起きることだし、役立ち感を実感できるようになるまでの時間にはかなり幅（はば）がある。忘れたころに役に立つ（笑）なんてこともあるかもしれない。

ぼくも大学受験のための勉強をしていたときには「なんでこんなことが必要なの？　意味あるの？」なんて思っていた。けれど、勉強したことの中には、大学に入って専門の講義を受け始めてから「ああ、そういうことだったのか」と思えたことも少なくなかった。

また、ぼくがふだん教えている大学生も、現役の学生のときではなくて、卒業して社会人になってから「先生、大学のときの授業の意味がやっとわかりましたよ」なんて言ってくることがある。

③ ピース型

単独では役立ち感をうまく感じられないけれど、総合すると実感できるもの。

たとえば数学の場合なら、個々の単元じゃなくて、数学をまとまって学んだ結果、きちんと筋道を立てて（論理的に）物事を考えられるようになるといったことなどが考えられる。

数学的な物の見方とか、もう少し広げて言うと論理的思考力ということになるけど、数学の個々の単元を学ぶことはあくまでひとつのピースであり、それだけを取り出したときは学ぶ意味や役立ち感はわからないかもしれない。でも、全体としては思考力を身につけることに役立っているというわけだ。


さあ、ここまでの話はどれも勉強の内容（中身）にかかわる「役に立つ」だった。

どうだろう？　ある程度は納得してもらえただろうか？

勉強の隠れた「役に立つ」とは？

じつは、勉強の内容そのものには直結しない、隠れた「役に立つ」もある。ざっくばらんに挙げてみよう。

④ 忍耐力を養う

退屈でつまらなくても、がまんして授業を受け続ける。そもそもそんな状況は学校以外ではあんまりないんじゃないだろうか？

小さな子どもが半日以上も机の前に座っているなんて、それ自体ががまんの連続だ。訓練が必要。でも、そうやってぼくたちは忍耐力を養っているのかもしれないよね。

⑤ 集中力を養う

自分なりに答えを導き出そうとして問題に集中する力。

そのためにはものごとをやり抜こうとする意志の力も必要になる。ご存知のように、学校の勉強には、こうした力が強く求められるよね。学校の勉強そのものが一種の知的訓練になっていて、それを重ねることで集中力は研ぎ澄(す)まされていくんだ。

⑥ 自己コントロール力を養う

人間だから当然、気分が乗らないときや、むしゃくしゃする日もある。
でも、そんなコンディションのときでも授業を受け、宿題をしなくちゃいけない。
そういうときでも、安定して力を発揮するには自己コントロールの力が必要になる。
そんな力を養ってくれるのも、じつは学校の勉強だったりするんじゃないか。

⑦ 好奇心を養う

これはわかりやすいかな。学校の勉強は、日々、新しいものやコトとの出会いだよね。

社会、自然、言葉、美しさ、人間関係、さまざまな事柄(ことがら)に興味を持つことで、好奇心が養われる。すると、ものごとの変化に対しても敏感(びんかん)になれる。好奇心は自分自身の成長にもつながるんだ。

⑧ 学ぶ習慣を養う

これまでぜんぜん勉強してこなかった人が、ある日いきなり何時間も勉強するなんて、ふつうはできるはずがない。何時間どころか、必要とされる短時間だけ集中するのも難しいかもしれない。

ぼくたちが必要なときに必要な時間だけ学ぶことに集中できるのは、学ぶ習慣を身につけていればこそなんだ。

変化のスピードが早いこれからの時代は、大人になってからも学び続けることや学び直しが必要になる。「生涯学習」が本気で求められるわけだけど、そのとき学ぶ習慣を身につけているかどうかは大きい。それが生涯年収のちがいにも影響するという研究があるくらいなんだ。学校の勉強はそんな習慣の獲得にも役立っている。

⑨ コミュニケーション力を養う

学校での学びは、先生や友達とやりとりをして、コミュニケーションをとりながらすすめることが多い。質問したり、意見交換をしたり、発表したりといったことを日常的にやっている。

じつはそうすることによって、きみたちは発信力やコミュニケーション力をつちかってもいるんだよね。

⑩ 協調性を養う

たとえばグループ学習では、相手の考えを理解したり、尊重したり、お互いに協力して補い合ったりしながら学び合う。

つまり、グループ全体で学習や活動を最適に進めるにはどうしたらいいかを知らず知らずに考え、実行している。そうした際に必要な協調性を養うことにも、じつは学校の勉強はつながっている。

どうだろう？　こんなふうに考えてみると、「学校の勉強って、意外にやるじゃん！」って思えてこないだろうか？

たしかに、学んでいる時点ですぐに役立つと感じられるものはそう多くないかもしれない。

でも、実際には勉強を通じて、きみたちは日々、すごい力を身につけているんだ（繰り返しになるけれど、これも「学校の勉強は役に立たない」というフツーを疑ってみたからこそ気づけることだよね)。

おそらく、「学校の勉強は役に立たない」と考える人の大半は、①の即効型と②の時間差型の中の時間差が短いものだけを役に立つと思っているのだろう。目先のメリットしか見えていないから、②の時間差が長いものから⑩の協調性を養うのところで述べたことまでは、残念ながら視野に入っていない。

もっと別の言い方をすれば、そもそも**学校の勉強の役立ち感というのは、その場ではなかなか感じられないけれど、時間が経ったあとで振り返ると強く実感されるもの**だともいえるんじゃないだろうか。

先に言ったように、大学受験のときの勉強は、大学に入ってから初めてその意味がわかったりする。また、大学の授業は、社会人になってから「わかった」と思うようになったりする。

こんなタイムラグは、ほんとうに悩ましいところなんだけれど、勉強の意味なんて、たいていは「あとづけ」でしか感じられないものなのかもしれない。でもだからといってそれが意味がないということにはならない。

もっとも、きみたちが学びの役立ち感を得られないのには、別の理由もありそうだ。

はっきり言ってしまおう。学校というところは、きみたちに勉強を教える場所であるのに、きみたちには、どんなふうに勉強が役に立つのかをそもそも教えてくれていない。

それって、冷静に考えればヘンな話だ。

でも、これまでの日本の学校は、単純化してしまえば、テストや入試の存在をちらつかせて生徒に学習の必要性を訴(うった)えたり、学ぶことへの動機づけにしようとしてきた。「ちゃんと勉強しないと試験に通らないよ」「入試で失敗するぞ」とか言って。

だから先生たちも学校の勉強がいろんな場面やいろいろな意味で「役に立つ」な

んてことはあまり意識してこなかったし、子どもたちにそれを伝えようともしてこなかったんじゃないだろうか。

ここはもっと変えていかなくてはならないとぼくは思っている。

そうは言っても学校の勉強はつまらない？

どうだろう？　ここまでの説明で納得してもらえただろうか？

学校の勉強ってすぐに役に立つものばかりではないけれど、広い意味では意外に役に立つんじゃないかな。

ただ、そうだとしても、学校の勉強が今日から「突然、面白くなった！」なんてことにはきっとならない。残念だけど、そう言わざるをえない。

（ちなみに、授業の内容についていけないから「つまらない」というケースはここではちょっと脇へ置いておく。考えておきたいのは、授業の内容はわかるけど、役立ち感がすぐには得られないために、「何のためにこんなことするんだろう？」と思ってしまうような、そんな「つまらなさ」のこと。）

「じゃあ、結局は勉強って苦行なんじゃないの？」

もしも正面切ってこう質問されたら、正直、ぼくも答えに窮してしまう。だって、学校の勉強はいずれは役に立つとしても、今の時点ではそれを実感できないことも多いんだから。

純粋な知的好奇心で目の前の授業にのめり込めるなら、それは苦行じゃないよね。面白くて、ワクワクする学びになるはずだ。

最近では学校のカリキュラムにも「総合的な学習の時間」あるいは「総合的な探究の時間」がある。そこでほんとうに自分が知りたいと思うテーマや課題を設定して

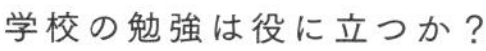

学べるんだったら、当然、苦行なんて感じはしないだろう。知的好奇心が刺激されて、もっともっと学びたくなるかもしれない。

でも、あらゆる教科のすべての単元が、そんな知的好奇心を持ちながら学べるわけじゃない。誰だって好きな教科、嫌いな教科があるし、ましてや中学や高校の授業内容はどんどん難しくなる。すべてのことを知的好奇心を持ちながら学び続けるなんて至難の技なのかもしれない。

そうだとすると、やっぱり学校の勉強はつまらないけれども、割り切って（がまんして）やるべきものということになるんだろうか？　勉強ってそんな存在なんだろうか？

人はなぜ勉強するんだろう？

学校の勉強は「しなくてはいけないもの？」　この問いは、じつは「人はなぜ勉強するのか」という問いとまっすぐにつながっている。

ちなみに、きみたちも「義務教育」という言葉をよく聞くと思う。

「日本の小中学校は義務教育なんだから、勉強することは『義務』だ」

きみがもし、こんなふうに思っているとしたら、それは大きな勘違い（かんちがい）いだ。

きみたちには教育を受けなくてはいけない「義務」はない。えっ？　と思うだろうか。

でも、ほんとうにそうなんだ。きみたちには教育を受ける「権利」があるだけだ。憲法にも、教育基本法にもそう書いてある。

保護者、社会、そして国には、きみたちの教育を受ける権利をきちんと保障する「義務」がある。このことを義務教育と言っているんだよね。

だから、きみたちからすれば、勉強することは権利であって義務ではない。法律で定められた義務だから勉強しなきゃいけないなんて考える必要はまったくない。

話を戻そう。人はなぜ勉強するのだろう。

いちばんわかりやすいのは、試験に合格する、資格を取る、学歴を獲得するといった目的のために必要だから、という理由かな。これは何かを得るための手段として勉強だね。

一方、新しいことを学んだり、わかったりすること自体が面白い。わくわくするだけでなく、自分が豊かになれると思うから勉強するということもある（あってほしい！）。たとえばきみが歴史好きで、三国志のファンだというなら、どれだけ分厚い三国志の本を読んでも苦にはならないはずだね。

少し難しい言葉だけど、前者のことは勉強の**「道具的価値」**と呼ぼう。つまり**勉強は何かを実現するための道具だという考え方だ。**後者は勉強の**「内在的価値」**と呼ぼう。つまり**勉強することそれ自体が価値を持っているという考え方。**

じつは、**人が勉強する理由は、道具的価値と内在的価値を両端に置いた直線上のどこかにある**――そう考えればいいんじゃないかとぼくは思っている。

たとえば、期末テストでいい成績を取るため、入試に備えるため、就職に役立つ資格を取るためといった理由は、道具的価値の側に位置する。

これに対し、幅広い視野やものの見方を得る、教養を身につけるといった理由は、内在的価値の側に位置する。

もちろん、すべての理由が両極端のどちらかにはっきりと分かれるわけじゃない。三国志を学ぶことは、ある人にとっては純粋に内在的価値になる。でも別の人が歴史の試験勉強に役立つからといった理由で学ぶ場合には道具的価値にもなる。三

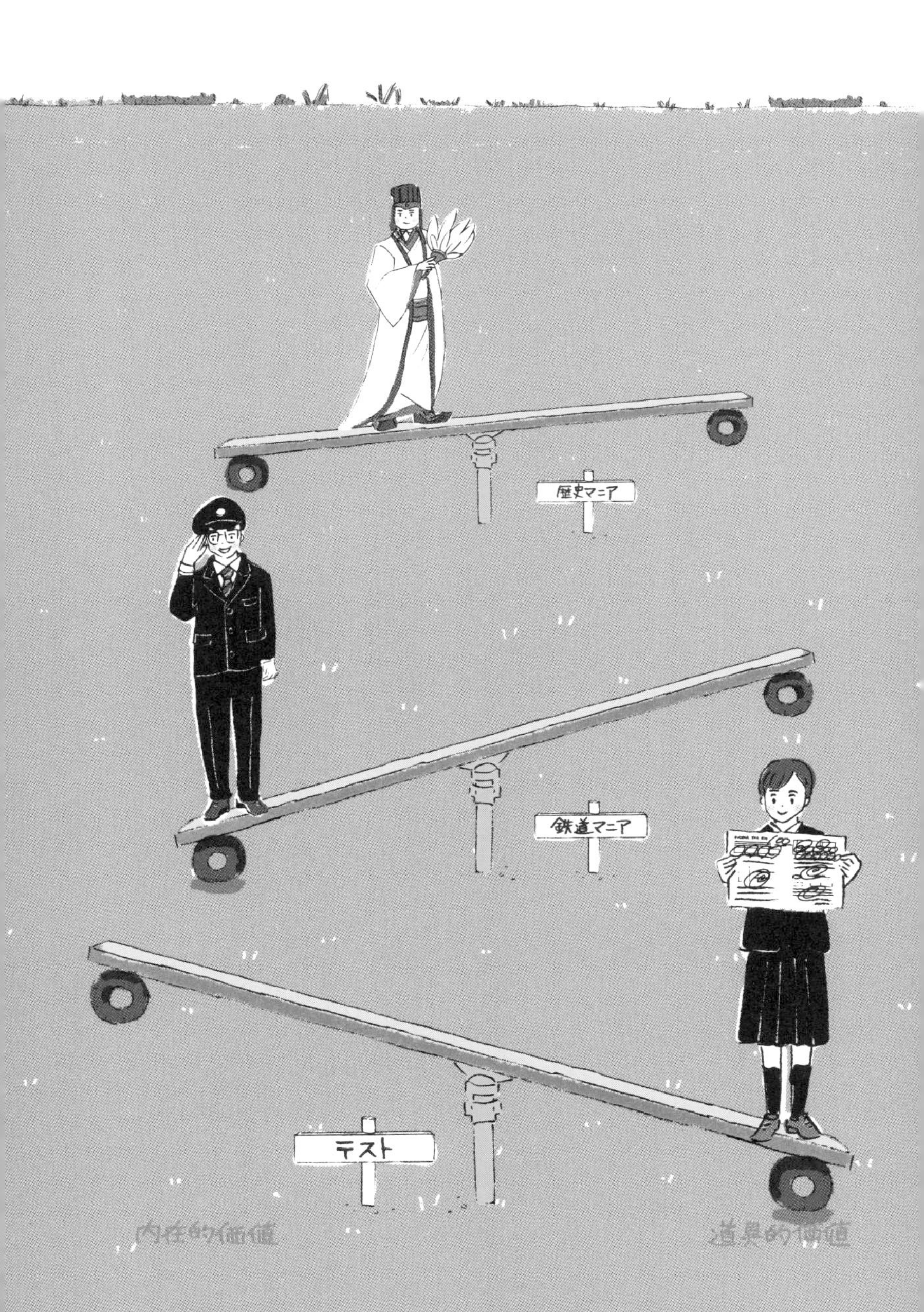
歴史マニア
鉄道マニア
テスト
内在的価値
道具的価値

国志の大ファンだという人は、より内在的価値のほうに位置するだろうけれど、いずれにせよどんな人も直線上のどこかには納まる。

つまり、人はこの直線上のどこかに自分なりの勉強の理由を位置づけ、それをモチベーションにしながら学んでいるんじゃないだろうか。

きみもこの直線上のどこかに自分が勉強する理由を置いてみてほしい。

少しはモヤモヤした気持ちが整理されて、勉強は「しなくてはいけないもの」から「自分からするもの」へと変わっていかないだろうか？（そうであってくれるとほんとうに嬉しい！）

あるいは、そこまで能動的ではないにしても「めんどうくさいけど、まあやっておくか」と思えるものにならないだろうか？

とくに若いきみたちは、勉強の道具的価値は実感しやすいと思うけれど（テストで100点取るとかだからね）、内在的価値はあまり意識されないことが多いんだと思う。

けれども、じつは学校での勉強というのは、大げさに言えば、これまでに人類が積み上げてきた知的遺産のエッセンスを学び、身につけることでもある。そのことについても、少し話をしておきたい。

勉強するのは自分のためだけじゃない？

今まで話してきたのは、言ってみれば勉強の「自分にとって」の意味だった。

でも、常識に、つまり勉強についてのフツーにとらわれずによく考えてみよう。

そもそも学校での勉強って、自分のためだけにするものなんだろうか？

「そんなの当たり前じゃん！」

「他人のために喜んで勉強しているヤツなんていないよ」

「親のためにしかたなくやってる人ならいるかもしれないけど」

こんな声が聞こえてきそうだ。


ちょっと、スケールの大きな話をしよう。

きみの家にはきっとライターがあって、きみはそれを使って火をつけることができると思う。なぜできるんだろう？ 親に習ったのかもしれない。

じゃあ、きみの親はそれをどこで、誰に習ったんだろう？ ライターという存在はいつ、誰が発明したのだろう？ ライターが存在しないときにはどうやって火を点けていたんだろう？ マッチ？ じゃあ、その前、マッチがない時代には？

人類は約700万年前に誕生し、やがて火を扱うようになった。そうすることで暖を取って体を温めたり、肉や魚を焼いて食べることができるようになった。

その後、着火の知識と技術は人類の中で脈々と受け継がれていき、もっと便利にしていくために進歩してきた。じつはそうした連綿とした流れの最先端にいる人類、

それがライターで火を点けるきみなんだ。驚いた？

人類はあらゆる知的遺産のバトンタッチを繰り返してきた。

知的遺産は受け継がれるだけでなく、特定の世代によって新しく工夫を加えられたり創造し直されたりもしてきた。文明というのは、そうやって発展してきたわけ。

じつは、人類の知的遺産の大切な部分、そのエッセンスは、学校の勉強そのものの中に詰まっている。

だから、きみたちが学校で勉強するということは、そうした世代間の文化継承の営み、人類の知的遺産の継承と発展という営みに参加していくことでもあるんだよね。

今日学校で習った二次方程式の授業は、大げさにいえば人類の知的遺産を世代間で継承していく営みの一端でもあった。

そう考えると、勉強するって「自分のため」だけにしてるんじゃないともいえないだろうか？

そんなこと意識はしていないと思うけど、きみの学びは次の世代の誰かに受け継がれていく。壮大すぎる話かもしれないね。だけど、それはまぎれもない真実だ。

そういえば、まだ言ってなかったと思うけれど、ぼくの専門は教育学という学問だ。教育学では、教育が何の役に立つのかについて、2つの有力な答えを出している。

ひとつは**「個人を幸せにすること」**。

もうひとつは**「社会をよりよくすること」**。

個人の幸せのほうは説明しなくてもわかると思う。では、社会をよりよくするというのは？

人が勉強する理由を道具的価値の側だけで見てしまうと、勉強には当の本人以外にとってメリットがないようにも思えるだろう。

でも、ほんとうにそうなんだろうか？

実際には、学ぼうとする人が多ければ多いほど社会は発展する。そしてそこには活力が生まれる。たとえきみが自分の幸福を求めて勉強したとしても、結局それは社会にも役立つことになる。内在的価値の側から考えて、幅広い視点や教養、思考力や判断力を身につけた人が増えれば増えるほど、その社会はよりよい社会になるはずだ。

こうしたことを踏まえると、学校の勉強はきみ個人のためのものであると同時に、よりよい社会づくりに参加し、貢献するためのものだともいえるんじゃないか。

ここまで話してきて、「あれ？」と気づいた人はいないかな？

そう、「人はなぜ勉強するのか」は、じつこの本の第3章で話をした「人はなぜ働くのか」と同じ構造になっているんだ。

働くことは義務ではないけれど、人としての**「つとめ」**なんじゃないか。第3章ではそう話したはずだよね。学ぶこともやっぱりそれと同じだと思う。

学ぶことはもちろん義務ではない。でも、人としての**「つとめ」**なんじゃないかとぼくは思っている。

「グーグル先生」に聞けばすべてが解決するのか？

この章のまとめをしよう。

「学校の勉強って役に立つの？」と疑問に思われているけれど、じつは視点を広げれば、いろいろな役立ち方がある。まずは、そこに気づいてほしい。

そもそも人はなぜ勉強するのかについては、道具的価値から内在的価値まで幅広い理由がある。それらが勉強することの動機づけにもなるはずだ。

個人が何かを得ようとするための勉強であったとしても、結果的にはそれが社会全体に価値をもたらすことにもつながる。

つまり、自分のために勉強していても、それはよりよい社会づくりに参加することにもなる。この視点はとても重要だし、きみも少しは勇気づけられるんじゃないだろ

うか。

最後に、学校の勉強について誤解されがちな点についても触れておきたい。

今は情報化が飛躍的にすすんだ社会なんだから、人間が知識を頭に入れておく必要なんてないよ、と言う人がいる。「知りたいことがあれば、ググっちゃえばいい」というわけだ。

たしかに、現代社会の変化はスピードが速く、すぐに賞味期限切れになってしまう知識も少なくない。それに「グーグル先生」なら何でも答えてくれる(ように思える)。

だから、人間は知識を獲得したり記憶したりするのではなく、知識の活用の仕方こそ学ぶべきだ。知識を編集したり、知識に基づいて判断したり、ほかの人と協働したりする能力を鍛えることこそが大事なんだという意見が出てくる。

もっともらしく聞こえるけれど、はたしてほんとうにそうなんだろうか?

知識を活用することこそが大事だという意見には賛成だ。

でも、それは知識の獲得や記憶が不要だということを意味したりはしない。だって、考えてみればわかると思うけど、頭の中にストックされている知識がゼロならば、いくらググろうとしても、残念ながら的確な検索ワードを思いついたり、探したりすることができない。だからそもそもググれない。さらに、複数の知識を組み合わせて、的確な判断をしたり、新しい何かを創造したりすることもできない。

いや、**そもそも知識のない人は、自分が「何を知らないのか」を知ることさえできないだろう。**

これは大切なことだ。だからこそ、「無知の知」という言葉も知られている。

要は、知識をバカにしてはいけない。

知識の一定のストックがなければ、人は考えることも、判断することも、表現することもできない。もちろん、重箱の隅を突つくような些末な内容まで暗記しておく必要はないだろう。そんな知識こそグーグル先生に聞けば事足りる。要するに、程度の問題ではあるんだ。

とはいえ、中学校までの教科書にゴチック体（太字）で出てくるものくらいは頭の中にストックしておいても悪くないのかもしれないね（ぼくも全部覚えているかと聞かれたら、じつは自信がないけれど。笑）。

「知識偏重（ちしきへんちょう）」に対する批判は世の中にあふれているけど、知識ではなくて思考力や判断力を重視しようとしても、そのためにこそ必要な知識というものがあるはずなんだ。この点はちゃんとおさえておいてほしい。

最後に（ホントに最後にするね。笑）、学校の勉強は広い見方をすれば役に立つし、意味があると言ったけれど、一方で「意味を求めすぎることには無理がある」のも事実だと言い添（そ）えておきたい。

もちろん、なぜこの単元を学ぶのかと先生に聞いて、「そんなことは高校（大学）

に入ってから考えればいい」なんて返されたらカチンとくるだろう。

「入試に出るんだから、つべこべ言わずにやっておけ」と言われても、ちょっと納得できないよね。だったら、入試に出ない教科はどうでもいいということにもなっちゃうんだから。

「なぜ数学を学ぶのか」「なぜ二次方程式を学ぶのか」。このあたりまでは、先生にきちんと説明してほしいところだ。「こんなことが理解できるようになる」とか「世の中ではこう使われている」とか、できるだけ具体的に知りたい。

でも、それ以上の細かい点にまで立ち入って、いちいちそれを学ぶ意味を探求していたら、きりがなくなってしまう。これは容易に想像してもらえるんじゃないだろうか。

そう考えると、学校の勉強は結局のところ**「習慣にする」**のが有効な対策だといえるかもしれない（前にも「学ぶ習慣」の話はしたけれど）。

「なぜこれを勉強するんだろう？」という意味の世界へ立ち入るのは、たまにでいい。節目節目でいい。ふだんは、割り切って習慣として勉強をしてしまおう。習慣になれば、「何のために」という呪縛から逃れられる。純粋に学習内容を理解することを楽しめたり、満足感が得られたりもするかもしれない。そこまでにはならなくても、少なくとも苦ではなくなることが、習慣化してしまうことの最大のメリットだ。

もちろん、それでも苦手に感じる教科や単元はなくならないだろう。「なんでこんなことを…」とふとした瞬間に疑問もわくだろう。

でも、そんなときは、こう呪文を唱えて立ち向かえばいい。

ジンルイノ　チテキイサンハ　テゴワイヨ

第5章

学校の勉強は役に立つか？

おわりに

この本を書く目的について、「はじめに」で、ぼくはこう宣言した。

1　**きみたちに自分自身の「これから（進路、人生）」を考える準備をしてもらう。**

2　**そのために、働くことや学ぶこと、生きることについて、「新しい視点」を手に入れてもらう。**

3　**新しい視点から、これまで当たり前と思い込んでいた常識をとらえなおし、きみたちに「自由」になってもらう。**

どうだろう？　この3つのねらいは、はたせただろうか？

おわりに

自分自身の「これから」について、少しは考える材料を得られただろうか？
「どうしたらいいか、早く答えを教えてよ！」なんて、この本を読みながら、もしかしてきみはもどかしく思ったかもしれない。

でも、あえてこの本ではそんな「正解」は出さなかった。

いや、正解なんてそもそも出せるはずがないんだ。人生のかたちは一人ひとりみんな違う。きみの人生がすっぽりとおさまるような出来あいの正解なんてあるはずがない。

でも、正解は出せなくても、自分自身が「これでいい！」と思える「納得解（なっとくかい）」なら出せるかもしれない。もちろん納得解を出すのは、ぼくではない。先生でも親でもない。友だちでもない。たったひとり、きみだけだ。

振（ふ）り返ろう。

「新しい視点」としてぼくが伝えようとしたのは次の5つだった。

1　フツーを疑おう
2　やりたいことの呪縛（じゅばく）を解き放とう
3　働くことのイメージを豊かにしよう
4　社会の変化を受けとめよう
5　発想を変えれば、学校の勉強はじつは役に立っている

きみは、これらの視点を自分のものにできただろうか？

完全でなくていい。ぜんぶでなくていい。どれかひとつでもいい。これまでの常識から離れ、新しい景色が少しでも見えてきたのなら上出来だよ。きみはそのぶんだけ、ほんの少しでも自由になれるはずだから。

キャリア教育をもっと広く、深く

おわりに

じつは、この本を書きながら、ずっと意識してきたことがある。それは、ぼくが専門とする分野でもあり、もう長い間、学校教育で取り組まれてきている「キャリア教育」のことだ。

キャリア教育とは、第2章でも少し触れたけれど、10代のきみたちに「社会に出ていくための準備」をしてもらうための学習（をうながす教育）のことだ。だから、この本のねらいとも重なっている。

実際、今、学校に在籍している人なら、きみたちは誰もがキャリア教育を受けている。

「あれっ、そんな授業、あったっけ？」と思うかもしれないね。でも、ロングホームルームや「総合的な学習の時間」を思い出してほしい。

小学4年（10歳）のときには「2分の1成人式」がなかっただろうか？　中学校以降でも、職場体験やインターンシップ、社会人の講話、職業調べ、自分の夢や「やりたいこと」探し、自分史の作成、職業興味検査の受検、キャリアプランづくり……じつはこれらはぜんぶキャリア教育の取り組みだったんだ。

現在のキャリア教育の実践(じっせん)をぼくなりに分類すると、次のようになる。

1 **自己理解系** 自分自身をよりよく理解するための学習。

2 **社会・職業理解系** 世の中のことや働くことをよりよく理解するための学習。

3 **体験学習系** 実際に職場体験や職業人へのインタビューなどをしてみること。

4 **将来設計系** 自分のキャリアプランを組み立てたり、「30歳(さい)の私」のような作文を書いたりする学習。

こう並べてみるとそれなりに体系的だし、組織だって取り組まれてもいる。日本の学校でキャリア教育が開始されたのは2004年のことなので、すでに15年以上が経過している。学校現場にはこれまでの蓄積(ちくせき)もある。

けれども、日本の学校におけるキャリア教育を見ていると、ぼくとしては「もっと広く、もっと深く！」という思いを強くする。

「もっと広く」というのは、働く場面につながっていくキャリア教育だけではなく、学習の場面や生きる場面、暮らしや生活、人間関係といったライフキャリアの全域にまで広げてほしい、という意味だ。

「もっと深く」というのは、個人の生き方や価値観に届くところにまでキャリア教育の営みを掘り下げていきたい、という意味だ。


人生は、問いの連続。

誰も答えを与えてはくれない。でも、きみは人生のあらゆる場面で自分だけの納得解を選びとらなくてはいけない。

そのとき、これまでよりもぐっと広さと深さを持ったキャリア教育が助けになればうれしい。ぼくもこの本では、そのためのささやかな試みにチャレンジしてみたつもりだ。

さあ、自立に向かう旅の準備はできただろうか？
いや、急がなくていいし、焦（あせ）る必要もない。準備のそのまた準備の、ちょっとだけ先の未来にいる自分の姿が想像できたのなら、この本のねらいは十分にはたせている。

児美川孝一郎

2021年春

児美川孝一郎（こみかわ・こういちろう）
1963年東京生まれ。法政大学キャリアデザイン学部教授。
専門はキャリア教育。大学教員としては今どきの学生とのほどよい付き合い方を模索中。若い世代に「やりたいこと」だけに呪縛されない、新しい働き方と生き方のヒントを届けたいと願っている。著書に『キャリア教育のウソ』（ちくまプリマー新書）『まず教育論から変えよう』（太郎次郎社エディタス）『夢があふれる社会に希望はあるか』（ベスト新書）ほか。

自分のミライの見つけ方
いつか働くきみに伝えたい
「やりたいこと探し」より大切なこと

2021年 7月12日　初版第1刷発行
2022年 5月17日　第4刷発行

著者	児美川孝一郎
編集協力	道添進
ブックデザイン	Boogie Design
装画	ふすい
本文イラスト	手塚雅恵
編集担当	熊谷満
発行者	木内洋育
発行所	株式会社旬報社 〒162-0041 東京都新宿区早稲田鶴巻町544　中川ビル4F TEL.03-5579-8973　FAX 03-5579-8975 HP http://www.junposha.com/
印刷製本	中央精版印刷株式会社

ISBN978-4-8451-1701-7